W9-BYX-357

DU MÊME AUTEUR

Récits

LA STATUE DE SEL, préface d'Albert Camus, *Corréa*, 1953 ; *Gallimard*, 1963.

AGAR, *Corréa*, 1955 ; *Gallimard*, 1984.

LE SCORPION OU LA CONFESSION IMAGINAIRE, *Gallimard*, 1969.

LE DÉSERT OU LA VIE ET LES AVENTURES DE JUBAÏR OUALI EL-MAMMI, *Gallimard*, 1977.

LE PHARAON, *Julliard*, 1988.

Poésies

LE MIRLITON DU CIEL. Poèmes illustrés de neuf lithographies originales d'Albert Bitran, *Éditions Lahabé*, 1985.

LE MIRLITON DU CIEL, *Julliard*, 1989.

Entretiens

ENTRETIEN (avec Robert Davies), *L'Étincelle*, Montréal, 1975.

LA TERRE INTÉRIEURE (avec Victor Malka), *Gallimard*, 1976.

LE JUIF ET L'AUTRE (avec M. Chavardès et F. Kashi), *Christian de Bartillat*, 1995.

Essais et portraits

PORTRAIT DU COLONISÉ, précédé du PORTRAIT DU COLONISATEUR, préface de J.-P. Sartre, *Corréa*, 1957 ; *Gallimard*, 1995.

PORTRAIT D'UN JUIF, *Gallimard*, 1962.

LA LIBÉRATION DU JUIF, *Gallimard*, 1966.

L'HOMME DOMINÉ (le Colonisé, le Juif, le Noir, la Femme, le Domestique, le Racisme), *Gallimard*, 1968.

LA DÉPENDANCE, *Gallimard*, 1979, suivi d'une LETTRE DU VERCORS, préface de Fernand Braudel.

Suite de la bibliographie en fin de volume.

PORTRAIT DU COLONISÉ

ALBERT MEMMI

PORTRAIT DU COLONISÉ

précédé de

PORTRAIT DU COLONISATEUR

et d'une préface de
Jean-Paul Sartre

nrf

GALLIMARD

NOTE DE L'ÉDITEUR À L'ÉDITION DE 1961

Le destin de ce livre a été singulier. Écrit avant la guerre d'Algérie[1]*, il décrivait avec précision la physionomie et la conduite du Colonisateur et du Colonisé, et le drame qui les liait l'un à l'autre. De la peinture rigoureuse de ce duo, il concluait qu'il n'y avait pas d'issue à la colonisation, sinon son éclatement et l'indépendance des Colonisés. Les esprits encore peu préparés à cette solution radicale, il parut délirant, même à gauche. Un grand hebdomadaire parisien, qui a fait depuis beaucoup de chemin, notait avec effroi : « On se félicitera que les leaders des peuples colonisés soient des hommes d'action et non des philosophes. Bourguiba, Mohammed V, Houphouët-Boigny, Allal el Fassi tiennent un autre langage et ont, des intérêts de leurs peuples, une autre conception. »*

Puis les événements se précipitèrent, en Algérie, en Afrique noire et ailleurs. Et tout ce que Memmi avait décrit et prédit se révéla exact ; y compris les brèves et denses pages de la fin, où il annonçait les premières réactions probables des Colonisés, sitôt l'indépendance obtenue. Peu à peu, on prit l'habitude de se référer, plus ou moins ouvertement, à ce texte, qui a servi de modèle ou de point de départ à des dizaines d'autres. Pour tous ceux qui voulaient comprendre les relations entre le Colonisateur et le Colonisé, il devint une espèce de classique.

1. Les premiers extraits en sont parus dans *Les Temps Modernes* et dans *Esprit*.

Aujourd'hui, il est commenté dans plusieurs facultés, en particulier dans les Universités noires. Léopold Sédar Senghor, Président de la République du Sénégal et poète réputé, écrivait : « Le livre d'Albert Memmi constituera comme un document auquel les historiens de la Colonisation auront à se référer... » Et Alioune Diop, Président de la Société africaine de Culture : « Nous considérons que ce Portrait est le meilleur des ouvrages connus sur la psychologie coloniale. » On lira enfin la préface où Jean-Paul Sartre affirme que dans ce livre : « Tout est dit. »

Si l'on a soin de compléter la lecture du Portrait du Colonisé *par celle de* L'Homme dominé, *on verra que Memmi a, en outre, révélé définitivement les mécanismes communs à la plupart des oppressions, n'importe où dans le monde. A travers la diversité des expériences vécues, les mêmes thèmes reviennent en effet, les mêmes attitudes et les mêmes conduites. « En tant qu'homme de couleur qui a vécu l'expérience raciale aux États-Unis, lui écrivait un écrivain américain, il m'est facile de m'identifier avec le Colonisé. Je reconnais aussi, sans difficulté, le parallélisme entre la mentalité du Colonisateur et l'attitude raciste des Blancs de mon pays... » Et ce sera en définitive la véritable originalité historique de cet ouvrage : par-delà la justesse des différents traits qui composent les physionomies du Colonisateur et du Colonisé, le mérite de l'auteur est d'avoir montré la cohérence de chaque figure, ainsi que la nécessité de la relation qui enchaîne l'un à l'autre les deux partenaires de toute oppression : « La colonisation fabrique des colonisés comme elle fabrique des colonisateurs. »*

PRÉFACE DE L'AUTEUR À L'ÉDITION DE 1966

Je mentirais en disant que j'avais vu au départ toute la signification de ce livre. J'avais écrit un premier roman, *La Statue de sel,* qui racontait une vie, celle d'un personnage pilote, pour essayer de me diriger dans la mienne. Mais l'impossibilité qui m'apparut au contraire, d'une vie d'homme accomplie dans l'Afrique du Nord de l'époque, me conduisit à tenter une issue dans le mariage mixte. Ce fut *Agar,* qui se terminait par un autre échec. Je fondais alors de grands espoirs sur le couple, qui me semble encore l'un des plus solides bonheurs de l'homme; peut-être la seule solution véritable à la solitude. Mais je venais de découvrir également que le couple n'est pas une cellule isolée, une oasis de fraîcheur et d'oubli au milieu du monde; le monde entier au contraire était dans le couple. Or, pour mes malheureux héros, le monde était celui de la colonisation; et si je voulais comprendre l'échec de leur aventure, celle d'un couple mixte en colonie, il me fallait comprendre le Colonisateur et le Colonisé, et peut-être même toute la relation et la situation coloniales. Tout cela m'entraînait fort loin de moi-même et de mes difficultés à vivre; mais l'explication reculait toujours, et sans savoir encore où j'allais aboutir, et sans la prétention de cerner une condition si complexe, il me fallait au moins trouver un terme à mon angoisse.

Je mentirais donc également, en prétendant que ce *Portrait* que j'ai fini par tracer, de l'une des oppressions majeures de notre temps, visait à peindre d'abord l'Opprimé en général. Un jour, certes, je finirai par donner ce portrait général de l'Opprimé. Mais précisément, je le souhaiterais réellement général ; c'est-à-dire un portrait-synthèse, par surimpression de plusieurs inventaires concrets, de plusieurs portraits particuliers de différents opprimés. Un portrait de l'opprimé en général suppose tous les autres, me semble-t-il ; il ne les préfigure pas, comme le croient certains philosophes, qui prennent leurs constructions pour des créations idéales de leur esprit, avec lesquelles ils iraient à la maîtrise du réel, alors que ce sont, le plus souvent, des stylisations non avouées du réel.

En tout cas, je n'avais pas le dessein, à l'époque, de peindre ni tous les Opprimés, ni même tous les Colonisés. J'étais Tunisien et donc Colonisé. Je découvrais que peu d'aspects de ma vie et de ma personnalité n'avaient pas été affectés par cette donnée. Pas seulement ma pensée, mes propres passions et ma conduite, mais aussi la conduite des autres à mon égard. Jeune étudiant arrivant à la Sorbonne pour la première fois, des rumeurs m'inquiétèrent : « Avais-je le droit, comme Tunisien, de préparer l'agrégation de philosophie ? » J'allai voir le Président du Jury : « Ce n'est pas un droit, m'expliqua-t-il... c'est un vœu. » Il hésita, juriste cherchant les mots exacts : « Mettons que c'est un vœu colonial. » Je n'ai pas encore compris ce que cela signifiait en fait, mais je ne pus tirer de lui rien de plus et l'on imagine avec quelle tranquillité d'âme je travaillais par la suite. Bref, j'ai entrepris cet inventaire de la condition du Colonisé d'abord pour me comprendre moi-même et identifier ma place au milieu des autres hommes. Ce furent mes lecteurs, qui étaient loin d'être tous des Tunisiens, qui m'ont convaincu plus tard que ce Portrait était également le leur. Ce sont les voyages, les conversations, les confrontations et les lectures qui me confirmèrent, au fur et à mesure que j'avançais, que ce que j'avais décrit était le lot d'une multitude d'hommes à travers le monde.

Je découvrais du même coup, en somme, que tous les Colonisés se ressemblaient; je devais constater par la suite que tous les Opprimés se ressemblaient en quelque mesure. Je n'en étais pas encore là et, par prudence autant que parce que j'avais d'autres soucis en tête, je préférais surseoir à cette conclusion que je tiens aujourd'hui pour indéniable. Mais tant de gens divers se reconnaissaient dans ce portrait, que je ne pouvais plus prétendre qu'il fut seulement le mien, ou celui du seul Colonisé tunisien ou même nord-africain. Un peu partout, me rapportait-on, les polices coloniales saisissaient le livre dans les cellules des militants colonisés. Je ne leur apportais rien d'autre, j'en suis persuadé, qu'ils ne sussent déjà, qu'ils n'eussent déjà vécu. Mais reconnaissant leurs propres émotions, leurs révoltes et leurs revendications, elles leur apparaissaient, je suppose, plus légitimes. Et surtout, quelle que fût la fidélité de cette description de notre expérience commune, elle les a moins frappés, peut-être, que la cohérence que je leur en proposai. Lorsque la guerre d'Algérie fut sur le point d'éclater, puis éclata, je me prédis à moi-même, puis osai l'annoncer, le dynamisme probable des événements. La relation coloniale, que j'avais essayé de préciser, enchaînait le Colonisateur et le Colonisé dans une espèce de dépendance implacable, façonnait leurs traits respectifs et dictait leurs conduites. De même qu'il y avait une évidente logique entre le comportement réciproque des deux partenaires de la colonisation, un autre mécanisme, qui découlait du précédent, allait procéder inexorablement, pensai-je, à la décomposition de cette dépendance. Les événements algériens confirmèrent largement ce schéma que j'ai vérifié, si souvent par la suite, dans l'éclatement d'autres situations coloniales.

En tout cas, la multitude des faits que j'avais vécus depuis l'enfance, souvent en apparence incohérents ou contradictoires, s'organisaient ainsi dans des constellations dynamiques. Comment le Colonisateur pouvait-il, à la fois, soigner ses ouvriers et mitrailler périodiquement une foule colonisée ? Comment le Colonisé pouvait-il à la fois se refuser si cruellement et se revendiquer d'une manière si excessive ? Comment pouvait-il à la fois détester le Colonisateur et l'admirer passionnément (cette admiration que je sentais, malgré tout, en moi) ? C'était de cela que j'avais surtout besoin moi-même : mettre de l'ordre dans mes sentiments et mes pensées, y accorder peut-être ma conduite. Par tempérament et par éducation, j'avais besoin, il est vrai, de le faire avec rigueur et d'en poursuivre les conséquences aussi loin que possible. Si je m'étais arrêté en chemin, si je n'avais pas tenu compte de tous les faits, si je n'avais pas essayé de rendre cohérents entre eux tous ces matériaux, jusqu'à les reconstruire en Portraits et jusqu'à ce que les Portraits se répondent les uns aux autres, je n'aurais guère réussi à me convaincre, et je serais resté insatisfait surtout de moi-même. Mais je commençais à entrevoir, en même temps, de quel appoint pouvait être, pour des hommes en lutte, la simple description, mais rigoureuse, ordonnée, de leurs misères, de leur humiliation et de leur condition objective d'opprimé. Et combien explosive pouvait être la révélation à la conscience claire du Colonisé comme du Colonisateur d'une situation explosive par nature. Comme si le dévoilement de l'espèce de fatalité de leurs itinéraires respectifs rendait la lutte de plus en plus nécessaire, et l'action de retardement de l'autre plus désespérée. Bref, le livre m'avait échappé des mains.

Dois-je avouer que je m'en effarai un peu ? Après les Colonisés explicites, les Algériens, les Marocains ou les Noirs d'Afrique, il commença à être reconnu, revendiqué et utilisé par d'autres hommes dominés d'une autre manière, comme certains Américains du Sud, ou les Noirs américains. Les derniers en date furent les canadiens français qui m'ont fait l'honneur de croire y retrouver de nombreux schémas de leur propre aliénation. Je ne pouvais que le voir vivre avec étonnement, comme un père voit avec une inquiétude mêlée de fierté son fils acquérir une renommée où le scandale se mêle aux applaudissements. Ce qui ne fut pas tout bénéfice, en effet, car tant de tapage a empêché de voir au contraire plusieurs passages qui me tenaient beaucoup à cœur. Ainsi les développements sur ce que j'ai appelé *le complexe de Néron* ; la description du *fait colonial* comme une *condition objective,* qui s'impose aux deux partenaires de la colonisation ; ou cet effort d'une définition du racisme en relation avec la domination d'un groupe par un autre ; ou encore l'analyse des échecs de la gauche européenne, et particulièrement des partis communistes, pour avoir mésestimé l'aspect national des libérations coloniales ; et surtout, par-delà une esquisse que j'ai voulue aussi épurée que possible, l'importance, la richesse irremplaçable de l'expérience vécue.

Car je veux continuer à penser, malgré tout, que ce qui fait le prix de cette entreprise, à mes yeux tout au moins, c'est sa modestie, sa particularité initiales. De sorte que rien dans ce texte n'est inventé ou supposé, ou même extrapolé hasardeusement. Il s'agit toujours d'une expérience, mise en forme et stylisée, mais toujours sous-jacente derrière chaque phrase. Et si j'ai consenti finalement à cette allure générale qu'elle a fini par prendre, c'est précisément parce que je sais que je pourrais, à toute ligne, à chaque mot, faire correspondre des faits multiples et parfaitement concrets.

Ainsi, l'on m'a reproché de ne pas avoir entièrement bâti mes Portraits sur une structure économique. La notion de *privilège,* je l'ai pourtant assez répété, est au cœur de la relation coloniale. Privilège économique, sans nul doute; et je saisis l'occasion pour le réaffirmer fortement : l'aspect économique de la colonisation est pour moi fondamental. Le livre ne s'ouvre-t-il pas par une dénonciation d'une prétendue mission morale ou culturelle de la colonisation et par montrer que la notion de profit y est essentielle [1] ? N'ai-je pas souvent souligné que de nombreuses *carences* du Colonisé sont les résultats presque directs des *avantages* qu'y trouve le Colonisateur? Ne voyons-nous pas aujourd'hui encore certaines décolonisations s'effectuer si péniblement parce que l'ex-Colonisateur n'a pas réellement renoncé à ses privilèges et qu'il essaye sournoisement de les rattraper? Mais *le privilège colonial n'est pas uniquement économique.* Quand on regarde vivre le Colonisateur et le Colonisé, on

1. « La colonisation, c'est d'abord une exploitation politico-économique. » (Page 173.) Mais j'ai ajouté qu'elle est une relation de *peuple à peuple* et non de *classe à classe.* C'est cela qui constitue, à mon sens, l'aspect *spécifique* de l'oppression coloniale (note de 1972).

découvre vite que l'humiliation quotidienne du Colonisé, et son écrasement objectif, ne sont pas seulement économiques; le triomphe permanent du Colonisateur n'est pas seulement économique. Le petit Colonisateur, le Colonisateur pauvre se croyait tout de même, et en un sens l'était réellement, supérieur au Colonisé; objectivement, et non seulement dans son imagination. Et ceci faisait également partie du Privilège colonial. Le découverte marxiste de l'importance de l'économie dans toute relation oppressive n'est pas en cause. Mais cette relation contient d'autres traits, que j'ai cru découvrir dans la relation coloniale.

Mais, dira-t-on encore : en *dernière analyse,* tous ces phénomènes ne reviennent-ils pas à un aspect économique plus ou moins caché; ou encore, l'aspect économique n'est-il pas le facteur premier, moteur, de la colonisation? Peut-être; ce n'est même pas sûr. Au fond, nous ne savons pas tout à fait ce qu'est l'homme en définitive, ce qui est l'essentiel pour lui, si c'est l'argent ou le sexe, ou l'orgueil, si la psychanalyse a raison contre le marxisme, ou si cela dépend des individus et des sociétés. Et de toute manière, avant d'en arriver à cette analyse dernière, j'ai voulu montrer toute la complexité du réel vécu par le Colonisé et par le Colonisateur. La psychanalyse comme le marxisme ne doivent pas, sous prétexte d'avoir découvert le ressort, ou l'un des ressorts fondamentaux de la conduite humaine, souffler tout le vécu humain, tous les sentiments, toutes les souffrances, tous les détours de la conduite, pour n'y voir que la recherche du profit ou le complexe d'Œdipe.

Je prendrai encore un exemple, qui va probablement me desservir. (Mais c'est ainsi que je conçois mon rôle d'écrivain : même contre mon propre personnage.) Ce Portrait du Colonisé, qui est donc beaucoup le mien, est précédé d'un Portrait du Colonisateur. Comment me suis-je alors permis, avec un tel souci de l'expérience vécue, de tracer également le portrait de l'adversaire? Voici un aveu que je n'ai pas encore fait : en vérité, je connaissais presque aussi bien, et de l'intérieur, le Colonisateur. Je m'explique : j'ai dit que j'étais de nationalité tunisienne; comme tous les autres Tunisiens, j'étais donc traité en citoyen de seconde zone, privé de droits politiques, interdit d'accès à la plupart des administrations, bilingue de culture longtemps incertaine, etc. – bref, que l'on se reporte au Portrait du Colonisé. Mais je n'étais pas musulman. Ce qui, dans un pays où tant de groupes humains voisinaient, mais chacun jaloux étroitement de sa physionomie propre, avait une signification considérable. Si j'étais indéniablement un indigène, comme on disait alors, aussi près que possible du Musulman, par l'insupportable misère de nos pauvres, par la langue maternelle (ma propre mère n'a jamais appris le français), par la sensibilité et les mœurs, le goût pour la même musique et les mêmes parfums, par une cuisine presque identique, j'ai tenté passionnément de m'identifier au Français. Dans un grand élan qui m'emportait vers l'Occident, qui me paraissait le parangon de toute civilisation et de toute culture véritables, j'ai d'abord tourné allègrement le dos à l'Orient, choisi irrévocablement la langue française, me suis habillé à l'italienne et ai adopté avec délices jusqu'aux tics des Européens. (En quoi d'ailleurs, j'essayais de réaliser l'une des ambitions de tout Colonisé, avant qu'il ne passe à la révolte.) Mieux encore, ou pire, comme l'on veut, dans cette *pyramide de tyranneaux*, que j'ai essayé de décrire, et qui constitue le squelette de toute société coloniale, nous nous sommes trouvés juste à un degré plus élevé que nos concitoyens musulmans. Nos privilèges étaient dérisoires mais ils suffisaient à nous donner quelque vague orgueil et à nous faire espérer que nous n'étions plus assimilables à la masse des Colonisés musulmans qui forme la base dernière de la pyramide. Ce qui, soit dit en passant, n'a guère facilité non plus mes relations avec les miens lorsque je me suis avisé de soutenir les Colonisés. Bref, s'il m'a paru tout de même nécessaire de dénoncer la colonisation, bien qu'elle n'ait pas été ausssi pesante pour les miens, à cause de cela cependant, j'ai connu ces mouvements contradictoires qui ont agité leurs âmes. Mon propre cœur ne battait-il pas à la vue du petit drapeau bleu-blanc-rouge des bateaux de la Compagnie Générale Transatlantique qui reliaient à Marseille le port de Tunis?

Tout cela pour dire que ce portrait du Colonisateur était en partie aussi le mien; un portrait projeté, mettons, au sens des géomètres. Celui du Colonisateur bienveillant en particulier, je me suis inspiré, pour le tracer, d'un groupe de professeurs de philosophie de Tunis, mes collègues et amis, dont la générosité était hors de doute; mais leur impuissance également, hélas, leur impossibilité de se faire entendre de qui que ce soit en colonie. Or, c'était parmi eux que je me sentais le mieux. Alors que je m'évertuais à démontrer les mythes proposés par la Colonisation, pouvais-je approuver complaisamment les contre-mythes surgis au sein du Colonisé? Je ne pouvais que sourire avec eux devant son affirmation, mal assurée, il est vrai, que la musique andalouse était la plus belle du monde; ou au contraire, que l'Européen était foncièrement dur et méchant : à preuve la manière dont il rudoyait ses enfants. Mais le résultat en était la suspicion du Colonisé, malgré leur immense bonne volonté à son égard, et alors qu'ils étaient honnis déjà par la communauté française. Or tout cela, je ne le connaissais que trop; leurs difficultés, leur ambiguïté nécessaire et l'isolement qui en découlait, et le plus grave : leur inefficacité devant l'action, étaient largement mon lot. (Je me fis un jour disputer avec aigreur pour avoir jugé inutile et dangereux de propager le bruit, qui avait gagné la Medina, que le Représentant de la France était atteint de folie furieuse.)

Irais-je plus loin ? Au fond, même le Pied-Noir, le plus simple de sentiments et de pensée, je le comprenais, si je ne l'approuvais pas. Un homme est ce que fait de lui sa condition objective, je l'ai assez répété. Si j'avais bénéficié davantage de la Colonisation, me disais-je, aurais-je réellement réussi à la condamner aussi vigoureusement ? Je veux espérer que oui; mais d'en avoir souffert à peine moins que les autres, m'a déjà rendu plus compréhensif. Bref, le Pied-Noir, le plus têtu, le plus aveugle, a été en somme mon frère à la naissance. La vie nous a traités différemment; il était reconnu fils légitime de la Métropole, héritier du privilège, qu'il allait défendre à n'importe quel prix, même le plus scandaleux; j'étais une espèce de métis de la colonisation, qui comprenait tout le monde, parce qu'il n'était totalement de personne.

Un mot encore, pour clore cette nouvelle présentation déjà trop longue. Ce livre a été accueilli avec autant d'inquiétude et de colère que d'enthousiasme. D'un côté on y a vu une insolente provocation, de l'autre, un drapeau. Tout le monde était d'accord pour le caractériser comme une arme, un outil de combat contre la colonisation; ce qu'il est devenu, il est vrai. Mais rien ne me paraît plus ridicule que de se targuer d'un courage emprunté et d'exploits que l'on n'a jamais accomplis : j'ai dit ma relative naïveté en rédigeant ce texte; je voulais simplement d'abord comprendre la relation coloniale où j'étais si étroitement engagé. Non que je n'aie pas toujours eu cette philosophie qui sous-entend ma recherche et colore en quelque sorte ma vie : je suis inconditionnellement contre toutes les oppressions; je vois dans l'oppression le fléau majeur de la condition humaine, qui détourne et vicie les meilleures forces de l'homme; opprimé et oppresseur d'ailleurs, car on le verra également : « si la colonisation détruit le Colonisé, elle pourrit le Colonisateur ». Mais tel n'était pas exactement mon propos dans ce livre. L'efficacité de ce texte lui est venue, génétiquement en quelque sorte, de la seule vertu de la vérité. C'est qu'il suffisait probablement de décrire avec précision le fait colonial, la manière dont agissait nécessairement le Colonisateur, la lente et inexorable destruction du Colonisé, pour mettre en évidence l'iniquité absolue de la colonisation et, du coup, en dévoiler l'instabilité fondamentale et en prédire la fin.

Le seul mérite que je me reconnaisse donc est d'avoir tenté, par-delà mon propre malaise, de rendre compte d'un aspect insupportable de la réalité humaine, et donc inacceptable, et destiné à provoquer sans cesse des bouleversements coûteux pour tout le monde. Au lieu de lire encore ce livre comme un objet de scandale, je souhaite qu'on examine calmement, au contraire, pourquoi ces conclusions qui se sont imposées à moi continuent à être spontanément retrouvées par tant d'hommes, dans des situations similaires. N'est-ce pas simplement parce que ces deux Portraits, que j'ai essayé de tracer, sont simplement fidèles à leurs modèles, qui n'ont pas besoin de se reconnaître dans le miroir que je leur tends, pour découvrir tout seuls la conduite la plus efficace dans leur vie de misère ? On sait la confusion tenace (qui est bien l'un des signes de notre persistante barbarie, de notre mentalité désespérément magique) entre l'artiste et son sujet. Au lieu de s'irriter des propos des écrivains, et de les accuser de vouloir créer le désordre, qu'ils ne font que décrire et annoncer, on ferait mieux de les écouter plus attentivement et de prendre plus au sérieux leurs avertissements prémonitoires. Car enfin, ne suis-je pas en droit de penser maintenant, après tant de guerres coloniales désastreuses et vaines, alors que la France se fait aujourd'hui le champion de la décolonisation dans le monde, que ce livre aurait pu être utile au Colonisateur aussi bien qu'au Colonisé ?

Paris, février 1966.

ALBERT MEMMI

PRÉFACE
DE JEAN-PAUL SARTRE [1]

Le Sudiste seul a compétence pour parler de l'esclavage : c'est qu'il connaît le Nègre; les gens du Nord, puritains abstraits, ne connaissent que l'Homme, qui est une entité. Ce beau raisonnement sert encore : à Houston, dans la presse de La Nouvelle-Orléans et puis, comme on est toujours le Nordiste de quelqu'un, en Algérie « française »; les journaux de là-bas nous répètent que le colon seul est qualifié pour parler de la colonie : nous autres, métropolitains, nous n'avons pas son expérience; nous verrons la terre brûlante d'Afrique par ses yeux ou nous n'y verrons que du feu.

Aux personnes que ce chantage intimide, je recommande de lire le Portrait du colonisé *précédé du* Portrait du colonisateur *: cette fois, c'est expérience contre expérience; l'auteur, un Tunisien, a raconté dans* La Statue de sel, *sa jeunesse amère. Qu'est-il au juste? Colonisateur ou Colonisé? Il dirait, lui : ni l'un ni l'autre; vous direz peut-être : l'un et l'autre; au fond, cela revient au même. Il appartient à un de ces groupes indigènes mais non musulmans, « plus ou moins avantagés par rapport aux*

1. Cette préface a paru pour la première fois dans *Les Temps Modernes*, n°s 137-138, juillet-août 1957.

masses colonisées et... refusés... par le groupement colonisateur » qui pourtant ne « décourage pas tout à fait » leurs efforts pour s'intégrer à la société européenne. Unis par une solidarité de fait au sous-prolétariat, séparés de lui par de maigres privilèges, leurs membres vivent dans un malaise perpétuel. Memmi a éprouvé cette double solidarité et ce double refus : le mouvement qui oppose les colons aux colonisés, les « colons qui se refusent » aux « colons qui s'acceptent ». Il l'a si bien compris, parce qu'il l'a senti d'abord comme sa propre contradiction. Il explique fort bien dans son livre que ces déchirures de l'âme, pures intériorisations des conflits sociaux, ne disposent pas à l'action. Mais celui qui en souffre, s'il prend conscience de soi, s'il connaît ses complicités, ses tentations et son exil, peut éclairer les autres en parlant de soi-même : « force négligeable dans la confrontation » ce suspect ne représente personne; mais, puisqu'il est tout le monde à la fois, il fera le meilleur des témoins.

Mais le livre de Memmi ne raconte pas; s'il est nourri de souvenirs, il les a tous assimilés : c'est la mise en forme d'une expérience; entre l'usurpation raciste des colons et la nation future que les colonisés construiront, où « il soupçonne qu'il n'aura pas de place », il essaye de vivre sa particularité en la dépassant vers l'universel. Non pas vers l'Homme, qui n'existe pas encore, mais vers une Raison rigoureuse et qui s'impose à tous. Cet ouvrage sobre et clair se range parmi les « géométries passionnées » : son objectivité calme, c'est de la souffrance et de la colère dépassée.

C'est pour cela, sans doute, qu'on peut lui reprocher une apparence d'idéalisme : en fait, tout est dit. Mais on le chicanera un peu sur l'ordre adopté. Il eût mieux valu, peut-être, montrer le colonialiste et sa victime pareille-

ment étranglés par l'appareil colonial, cette lourde machine qui s'est construite à la fin du Second Empire, sous la Troisième République, et qui, après avoir donné toute satisfaction aux colonisateurs, se retourne encore contre eux et risque de les broyer. En fait, le racisme est inscrit dans le système : la colonie vend bon marché des denrées alimentaires, des produits bruts, elle achète très cher à la métropole des produits manufacturés. Cet étrange commerce n'est profitable aux deux parties que si l'indigène travaille pour rien, ou presque. Ce sous-prolétariat agricole ne peut pas même compter sur l'alliance des Européens les moins favorisés : tous vivent sur lui, y compris ces « petits colons » que les grands propriétaires exploitent mais qui, comparés aux Algériens, sont encore des privilégiés : le revenu moyen du Français d'Algérie est dix fois supérieur à celui du musulman. La tension naît de là. Pour que les salaires et le prix de la vie soient au plus bas, il faut une concurrence très forte entre les travailleurs indigènes, donc que le taux de la natalité s'accroisse; mais comme les ressources du pays sont limitées par l'usurpation coloniale, pour les mêmes salaires, le niveau de vie musulman baisse sans cesse, la population vit en état de sous-alimentation perpétuelle. La conquête s'est faite par la violence; la surexploitation et l'oppression exigent le maintien de la violence, donc la présence de l'Armée. Il n'y aurait pas là de contradiction si la terreur régnait partout sur la terre : mais le colon jouit là-bas, dans la Métropole, des droits démocratiques que le système colonial refuse aux colonisés : c'est le système, en effet, qui favorise l'accroissement de la population pour abaisser le coût de la main-d'œuvre, et c'est lui encore qui interdit l'assimilation des indigènes : s'ils avaient le droit de vote, leur supériorité numérique ferait tout éclater à l'instant.

Le colonialisme refuse les droits de l'homme à des hommes qu'il a soumis par la violence, qu'il maintient de force dans la misère et l'ignorance, donc, comme dirait Marx, en état de « sous-humanité ». Dans les faits eux-mêmes, dans les institutions, dans la nature des échanges et de la production, le racisme est inscrit; les statuts politique et social se renforcent mutuellement puisque l'indigène est un sous-homme, la Déclaration des Droits de l'Homme ne le concerne pas; inversement, puisqu'il n'a pas de droits, il est abandonné sans protection aux forces inhumaines de la nature, aux « lois d'airain » de l'économie. Le racisme est déjà là, porté par la praxis colonialiste, engendré à chaque minute par l'appareil colonial, soutenu par ces relations de production qui définissent deux sortes d'individus : pour l'un, le privilège et l'humanité ne font qu'un; il se fait homme par le libre exercice de ses droits; pour l'autre, l'absence de droit sanctionne sa misère, sa faim chronique, son ignorance, bref sa sous-humanité. J'ai toujours pensé que les idées se dessinent dans les choses et qu'elles sont déjà dans l'homme, quand il les réveille et les exprime pour s'expliquer sa situation. Le « conservatisme » du colon, son « racisme », les rapports ambigus avec la métropole, tout est donné d'abord, avant qu'il les ressuscite dans le « complexe de Néron ».

Memmi me répondrait sans doute qu'il ne dit pas autre chose : je le sais[1]*; du reste c'est lui, peut-être, qui a raison : en exposant ses idées dans l'ordre de la découverte, c'est-à-dire à partir des intentions humaines et des relations vécues, il garantit l'authenticité de son expérience : il a souffert d'abord dans ses rapports avec les autres, dans*

1. N'écrit-il pas : « La situation coloniale fabrique des colonialistes comme elle fabrique des colonisés » (page 80) ? Toute la différence entre nous vient peut-être de ce qu'il voit une situation là où je vois un système.

ses rapports avec lui-même : il a rencontré la structure objective en approfondissant la contradiction qui le déchirait; et il nous les livre telles quelles, brutes, encore toutes pénétrées de sa subjectivité.

Mais laissons ces chicanes. L'ouvrage établit quelques vérités fortes. D'abord qu'il n'y a ni bons ni mauvais colons : il y a des colonialistes. Parmi eux, quelques-uns refusent leur réalité objective : entraînés par l'appareil colonial, ils font tous les jours en fait ce qu'ils condamnent en rêve et chacun de leurs actes contribue à maintenir l'oppression; ils ne changeront rien, ne serviront à personne et trouveront leur confort moral dans le malaise, voilà tout.

Les autres – c'est le plus grand nombre – commencent ou finissent par s'accepter.

Memmi a remarquablement décrit la suite de démarches qui les conduit à l'« auto-absolution ». Le conservatisme engendre la sélection des médiocres. Comment peut-elle fonder ses privilèges, cette élite d'usurpateurs conscients de leur médiocrité? Un seul moyen : abaisser le colonisé pour se grandir, refuser la qualité d'homme aux indigènes, les définir comme de simples privations. Cela ne sera pas difficile puisque, justement, le système les prive de tout; la pratique colonialiste a gravé l'idée coloniale dans les choses mêmes; c'est le mouvement des choses qui désigne à la fois le colon et le colonisé. Ainsi l'oppression se justifie par elle-même : les oppresseurs produisent et maintiennent de force les maux qui rendent, à leurs yeux, l'opprimé de plus en plus semblable à ce qu'il faudrait qu'il fût pour mériter son sort. Le colon ne peut s'absoudre qu'en poursuivant systématiquement la « déshumanisation » du colonisé, c'est-à-dire en s'identifiant chaque jour un peu plus à l'appareil colonial. La terreur et l'exploitation déshumanisent et l'exploiteur s'autorise de cette déshumanisation pour exploiter davantage. La machine tourne rond; impossible de distinguer l'idée de la praxis et celle-ci de la nécessité objective. Ces moments du colonialisme tantôt se conditionnent réciproquement et tantôt se confondent. L'oppression, c'est d'abord la haine de l'oppresseur contre l'opprimé. Une seule limite à cette entreprise d'extermination : le colonialisme lui-même. C'est ici que le colon rencontre sa propre contradiction : « avec le colonisé disparaîtrait la colonisation, colonisateur compris ». Plus de sous-prolétariat, plus de surexploitation : on retomberait dans les formes ordinaires de l'exploitation capitaliste, les salaires et les prix s'aligneraient sur ceux de la métropole : ce serait la ruine. Le système veut à la fois la mort et la multiplication de ses victimes; toute transformation lui sera fatale : qu'on assimile ou qu'on massacre les indigènes, le coût de la main-d'œuvre ne cessera de monter. La lourde machine maintient entre la vie et la mort – toujours plus près de la mort que de la vie – ceux qui sont contraints de la mouvoir; une idéologie pétrifiée s'applique à considérer des hommes comme des bêtes qui parlent. Vainement : pour leur donner des ordres, fût-ce les plus durs, les plus insultants, il faut commencer par les reconnaître; et comme on ne peut les surveiller sans cesse, il faut bien se résoudre à leur faire confiance : nul ne peut traiter un homme « comme un chien », s'il ne le tient d'abord pour un homme. L'impossible déshumanisation de l'opprimé se retourne et devient l'aliénation de l'oppresseur : c'est lui, c'est lui-même qui ressuscite par son moindre geste l'humanité qu'il veut détruire; et, comme il la nie chez les autres, il la retrouve partout comme une force ennemie. Pour y échapper, il faut qu'il se minéralise, qu'il se donne la consistance opaque et l'imperméabilité du roc, bref qu'il se « déshumanise » à son tour.

Une impitoyable réciprocité rive le colonisateur au colonisé, son produit et son destin. Memmi l'a fortement marquée; nous découvrons avec lui que le système colonial est une forme en mouvement, née vers le milieu du siècle dernier et qui produira d'elle-même sa propre destruction : voici longtemps déjà qu'elle coûte aux métropoles plus qu'elle ne leur rapporte; la France est écrasée sous le poids de l'Algérie et nous savons à présent que nous abandonnerons la guerre, sans victoire ni défaite, quand nous serons trop pauvres pour la payer. Mais, avant tout, c'est la rigidité mécanique de l'appareil qui est en train de le détraquer : les anciennes structures sociales sont pulvérisées, les indigènes « atomisés », mais la société coloniale ne peut les intégrer sans se détruire; il faudra donc qu'ils retrouvent leur unité contre elle. Ces exclus revendiqueront leur exclusion sous le nom de personnalité nationale : c'est le colonialisme qui crée le patriotisme des colonisés. Maintenus par un système oppressif au niveau de la bête, on ne leur donne aucun droit, pas même celui de vivre, et leur condition empire chaque jour : quand un peuple n'a d'autre ressource que de choisir son genre de mort, quand il n'a reçu de ses oppresseurs qu'un seul cadeau, le désespoir, qu'est-ce qui lui reste à perdre? C'est son malheur qui deviendra son courage; cet éternel refus que la colonisation lui oppose, il en fera le refus absolu de la colonisation. Le secret du prolétariat, a dit Marx un jour, c'est qu'il porte en lui la destruction de la société bourgeoise. Il faut savoir gré à Memmi de nous avoir rappelé que le colonisé a lui aussi son secret, et que nous assistons à l'atroce agonie du colonialisme.

JEAN-PAUL SARTRE

Portrait du colonisateur

1

LE COLONIAL EXISTE-T-IL ?

Le sens du voyage colonial

On se plaît encore quelquefois à représenter le colonisateur comme un homme de grande taille, bronzé par le soleil, chaussé de demi-bottes, appuyé sur une pelle – car il ne dédaigne pas de mettre la main à l'ouvrage, fixant son regard au loin sur l'horizon de ses terres; entre deux actions contre la nature, il se prodigue aux hommes, soigne les malades et répand la culture, un noble aventurier enfin, un pionnier.

Je ne sais si cette image d'Épinal correspondit jamais à quelque réalité ou si elle se limite aux gravures des billets de banque coloniaux. Les motifs économiques de l'entreprise coloniale sont aujourd'hui mis en lumière par tous les historiens de la colonisation; personne ne croit plus à la *mission* culturelle et morale, même originelle, du colonisateur. De nos jours, en tout cas, le départ vers la colonie n'est pas le choix d'une lutte incertaine, recherchée précisément pour ses dangers, ce n'est pas la tentation de l'aventure mais celle de la facilité.

Il suffit d'ailleurs d'interroger l'Européen des colonies : quelles raisons l'ont poussé à s'expatrier, puis, surtout, quelles raisons l'ont fait persister dans son exil ? Il arrive qu'il parle aussi d'aventure, de pittoresque et de dépaysement. Mais pourquoi ne les a-t-il pas cherchés en Arabie, ou simplement en Europe centrale, où l'on ne parle pas sa propre langue, où il ne retrouve pas un groupe important de ses compatriotes, une administration qui le sert, une armée qui le protège ? L'aventure aurait comporté plus d'imprévu ; mais ce dépaysement-là, plus certain et de meilleure qualité, aurait été d'un *profit* douteux : le dépaysement colonial, si dépaysement il y a, doit être d'abord d'un bon rapport. Spontanément, mieux que les techniciens du langage, notre voyageur nous proposera la meilleure définition qui soit de la colonie : on y gagne plus, on y dépense moins. On rejoint la colonie parce que les situations y sont assurées, les traitements élevés, les carrières plus rapides et les affaires plus fructueuses. Au jeune diplômé on a offert un poste, au fonctionnaire un échelon supplémentaire, au commerçant des dégrèvements substantiels, à l'industriel de la matière première et de la main-d'œuvre à des prix insolites.

Mais soit : supposons qu'il existe ce naïf, qui débarque par hasard, comme il viendrait à Toulouse ou à Colmar.

Lui faudrait-il longtemps pour découvrir les avantages de sa nouvelle situation ? Pour être aperçu après coup, le sens économique du voyage colonial ne s'en impose pas moins, et rapidement. L'Européen des colonies peut aussi, bien sûr, aimer cette contrée nouvelle, goûter le pittoresque de ses mœurs. Mais serait-il rebuté par son climat, mal à l'aise au milieu de ces foules étrangement vêtues, regretterait-il son pays natal, le problème est désormais celui-ci : faut-il accepter ces ennuis et ce malaise en échange des avantages de la colonie ?

Bientôt il ne s'en cache plus; il est courant de l'entendre rêver à haute voix : quelques années encore et il achètera une maison dans la métropole... une sorte de purgatoire en somme, un purgatoire payant. Désormais, même rassasié, écœuré d'exotisme, malade quelquefois, il s'accroche : le piège jouera jusqu'à la retraite ou même jusqu'à la mort. Comment regagner la métropole lorsqu'il y faudrait réduire son train de vie de moitié ? Retourner à la lenteur visqueuse de l'avancement métropolitain ?...

Lorsque, ces dernières années, l'histoire s'étant mise à courir, la vie devint difficile, souvent périlleuse pour les colonisateurs, c'est ce calcul si simple, mais sans réplique, qui les a retenus. Même ceux qu'on appelle en colonie des oiseaux de passage n'ont pas manifesté une hâte excessive à partir. Quelques-uns, envisageant de rentrer, se sont mis à craindre, de façon inattendue, un nouveau dépaysement : celui de se retrouver dans leur pays d'origine. On peut les croire en partie; ils ont quitté leur pays depuis assez longtemps pour n'y avoir plus d'amitiés vivantes, leurs enfants sont nés en colonie, ils y ont enterré leurs morts. Mais ils exagèrent leur déchirement; s'ils ont organisé leurs habitudes quotidiennes dans la cité coloniale, ils y ont importé et imposé les mœurs de la métropole, où ils passent régulièrement leurs vacances, où ils puisent leurs inspirations administratives, politiques et culturelles, sur laquelle leurs yeux restent constamment fixés.

Leur dépaysement, en vérité, est à base économique : celui du nouveau riche risquant de devenir pauvre.

Ils tiendront donc le plus longtemps possible, car plus le temps passe, plus durent les avantages, qui méritent bien quelques inquiétudes et qu'on perdra toujours trop tôt. Mais si un jour l'économique est atteint, si les « situations », comme on dit, courent des dangers réels, le colonisateur se sent alors menacé et songe, sérieusement cette fois, à regagner la métropole.

Sur le plan collectif, l'affaire est encore plus claire. Les entreprises coloniales n'ont jamais eu d'autre sens avoué. Lors des négociations franco-tunisiennes, quelques naïfs se sont étonnés de la relative bonne volonté du gouvernement français, particulièrement dans le domaine culturel, puis de l'acquiescement, somme toute rapide, des chefs de la colonie. C'est que les têtes pensantes de la bourgeoisie et de la colonie avaient compris que l'essentiel de la colonisation n'était ni le prestige du drapeau, ni l'expansion culturelle, ni même la direction administrative et le salut d'un corps de fonctionnaires. Ils admirent qu'on pût concéder sur tout si le fond, c'est-à-dire les avantages économiques, était sauvé. Et si M. Mendès France put effectuer son fameux voyage éclair, ce fut avec leur bénédiction et sous la protection de l'un des leurs. Ce fut exactement son programme et le contenu premier des conventions.

Ayant découvert le profit, par hasard ou parce qu'il l'avait cherché, le colonisateur n'a pas encore pris conscience, cependant, du rôle historique qui va être le sien. Il lui manque un pas dans la connaissance de sa situation nouvelle : il lui faut comprendre également l'origine et la signification de ce profit. A vrai dire, cela ne tarde guère. Comment pourrait-il longtemps ne pas voir la misère du colonisé et la relation de cette misère à son aisance ? Il s'aperçoit que ce profit si facile ne l'est tant que parce qu'il est arraché à d'autres. En bref, il fait deux acquisitions en une : il découvre l'existence du colonisé et du même coup son propre *privilège*.

Il *savait*, bien sûr, que la colonie n'était pas peuplée

uniquement de colons ou de colonisateurs. Il avait même quelque idée des colonisés grâce aux livres de lecture de son enfance; il avait suivi au cinéma quelque documentaire sur certaines de leurs mœurs, choisies de préférence pour leur étrangeté. Mais ces hommes appartenaient précisément aux domaines de l'imagination, des livres ou du spectacle. Ils ne le concernaient pas, ou à peine, indirectement, par l'intermédiaire d'images collectives à toute sa nation, épopées militaires, vagues considérations stratégiques. Il s'en était un peu inquiété lorsqu'il avait décidé de gagner lui-même la colonie; mais pas différemment que du climat, peut-être défavorable, ou de l'eau que l'on disait être trop calcaire. Voilà que ces hommes, soudain, cessant d'être un simple élément d'un décor géographique ou historique, s'installent dans sa vie.

Il ne peut même pas décider de les éviter : il doit vivre en relation constante avec eux, car c'est cette relation même qui lui permet cette vie, qu'il a décidé de rechercher en colonie; c'est cette relation qui est fructueuse, qui crée le privilège. Il se trouve sur le plateau d'une balance dont l'autre plateau porte le colonisé. Si son niveau de vie est élevé, c'est parce que celui du colonisé est bas; s'il peut bénéficier d'une main-d'œuvre, d'une domesticité nombreuse et peu exigeante, c'est parce que le colonisé est exploitable à merci et non protégé par les lois de la colonie; s'il obtient si facilement des postes administratifs, c'est qu'ils lui sont réservés et que le colonisé en est exclu; plus il respire à l'aise, plus le colonisé étouffe.

Tout cela, il ne peut pas ne pas le découvrir. Ce n'est pas lui que risqueraient de convaincre les discours officiels, car ces discours, c'est lui qui les rédige ou son cousin ou son ami; les lois qui fixent ses droits exorbitants et les devoirs des colonisés, c'est lui qui les conçoit, les consignes à peine discrètes de discrimination, les dosages dans les concours et l'embauche, il est nécessairement dans le secret de leur application, puisqu'il en est chargé. Se voudrait-il aveugle et sourd au fonctionnement de toute la machine, il suffirait qu'il recueille les résultats : or il est le bénéficiaire de toute l'entreprise.

L'usurpateur

Il est impossible enfin qu'il ne constate point *l'illégitimité* constante de sa situation. C'est de plus, en quelque sorte, une illégitimité double. Étranger, venu dans un pays par les hasards de l'histoire, il a réussi non seulement à se faire une place, mais à prendre celle de l'habitant, à s'octroyer des privilèges étonnants au détriment des ayants droit. Et cela, non en vertu des lois locales, qui légitiment d'une certaine manière l'inégalité par la tradition, mais en bouleversant les règles admises, en y substituant les siennes. Il apparaît ainsi doublement injuste : c'est un privilégié et un privilégié non légitime, c'est-à-dire un *usurpateur*. Et enfin, non seulement aux yeux du colonisé, mais aux siens propres. S'il objecte quelquefois que des privilégiés existent aussi parmi les colonisés, des féodaux, des bourgeois, dont l'opulence égale ou dépasse la sienne, il le fait sans conviction. N'être pas seul coupable peut rassurer mais non absoudre. Il reconnaîtrait facilement que les privilèges des privilégiés autochtones sont moins scandaleux que les siens. Il sait aussi que les colonisés les plus favorisés ne seront jamais que des colonisés, c'est-à-dire que certains droits leur seront éternellement refusés, que certains avantages lui sont strictement réservés. En bref, à ses yeux comme aux yeux de sa victime, il se sait usurpateur : il faut qu'il s'accommode de ces regards et de cette situation.

Le petit colonisateur

Avant de voir comment ces trois découvertes – profit, privilège, usurpation, – ces trois progrès de la conscience du colonisateur vont façonner sa figure, par quels mécanismes elles vont transformer le candidat colonial en colonisateur ou en colonialiste, il faut répondre à une objection courante : la colonie, dit-on souvent, ne comprend pas que des colons. Peut-on parler de privilèges au sujet de cheminots, de moyens fonctionnaires ou même de petits cultivateurs, qui calculent pour vivre aussi bien que leurs homologues métropolitains ?...

Pour convenir d'une terminologie commode, distinguons le colonial, le colonisateur et le colonialiste. Le *colonial* serait l'Européen vivant en colonie mais sans privilèges, dont les conditions de vie ne seraient pas supérieures à celles du colonisé de catégorie économique et sociale équivalente. Par tempérament ou conviction éthique, le colonial serait l'Européen bienveillant, qui n'aurait pas vis-à-vis du colonisé l'attitude du colonisateur. Eh bien ! disons-le tout de suite, malgré l'apparente outrance de l'affirmation : *le colonial ainsi défini n'existe pas, car tous les Européens des colonies sont des privilégiés.*

Certes, tous les Européens des colonies ne sont pas des potentats, ne jouissent pas de milliers d'hectares et ne dirigent pas des administrations. Beaucoup sont eux-mêmes victimes des maîtres de la colonisation. Ils en sont économiquement exploités, politiquement utilisés, en vue de défendre des intérêts qui ne coïncident pas souvent avec les leurs. Mais les relations sociales ne sont presque jamais univoques. Contrairement à tout ce que l'on préfère en croire, aux vœux pieux comme aux assurances intéressées : le petit colonisateur est, de fait, généralement solidaire des colons et défenseur acharné des privilèges coloniaux. Pourquoi ?

Solidarité du semblable avec le semblable ? Réaction de défense, expression anxieuse d'une minorité vivant au milieu d'une majorité hostile ? En partie. Mais aux beaux moments de la colonisation, protégés par la police et l'armée, une aviation toujours prête à intervenir, les Européens des colonies n'avaient pas peur, pas assez en tout cas pour expliquer une telle unanimité. Mystification ? Davantage, certes. Il est exact que le petit colonisateur aurait lui-même un combat à mener, une libération à effectuer; s'il n'était si gravement dupé par les siens, et aveuglé par l'histoire. Mais je ne crois pas qu'une mystification puisse reposer sur une complète illusion, puisse gouverner totalement le comportement humain. Si le petit colonisateur défend le système colonial avec tant d'âpreté, c'est qu'il en est peu ou prou bénéficiaire. La mystification réside en ceci que, pour défendre ses intérêts très limités, il en défend d'autres infiniment plus importants, et dont il est par ailleurs la victime. Mais, dupe et victime, il y trouve aussi son compte.

C'est que le privilège est affaire relative : plus ou moins, mais tout colonisateur est privilégié, car il l'est *comparativement*, et au détriment du colonisé. Si les privilèges des puissants de la colonisation sont éclatants, les menus privilèges du petit colonisateur, même le plus petit, sont très nombreux. Chaque geste de sa vie quotidienne le met en relation avec le colonisé et à chaque geste il bénéficie d'une avance reconnue. Se trouve-t-il en difficulté avec les lois? La police et même la justice lui seront plus clémentes. A-t-il besoin des services de l'administration? Elle lui sera moins tracassière; lui abrégera les formalités; lui réservera un guichet, où les postulants étant moins nombreux, l'attente sera moins longue. Cherche-t-il un emploi? Lui faut-il passer un concours? Des places, des postes lui seront d'avance réservés; les épreuves se passeront dans sa langue, occasionnant des difficultés éliminatoires au colonisé. Est-il donc si aveugle ou si aveuglé, qu'il ne puisse jamais voir qu'à conditions objectives égales, classe économique, mérite égaux, il est toujours avantagé? Comment ne tournerait-il pas la tête, de temps en temps, pour apercevoir tous les colonisés, quelquefois anciens condisciples ou confrères, qu'il a si largement distancés.

Enfin, ne demanderait-il rien, n'aurait-il besoin de rien, il lui suffit de paraître pour que s'attache à sa personne le préjugé favorable de tous ceux qui comptent dans la colonie; et même de ceux qui ne comptent pas, car il bénéficie du préjugé favorable, du respect du colonisé lui-même, qui lui accorde plus qu'aux meilleurs des siens; qui, par exemple, a davantage confiance en sa parole qu'en celle des siens. C'est qu'il possède, de naissance, une qualité indépendante de ses mérites personnels, de sa classe objective : il est membre du groupe des colonisateurs, dont les valeurs règnent et dont il participe. Le pays est rythmé par ses fêtes traditionnelles, même religieuses, et non sur celles de l'habitant; le congé hebdomadaire est celui de son pays d'origine, c'est le drapeau de sa nation qui flotte sur les monuments, c'est sa langue maternelle qui permet les communications sociales; même son costume, son accent, ses manières finissent par s'imposer à l'imitation du colonisé. Le colonisateur participe d'un monde supérieur, dont il ne peut que recueillir automatiquement les privilèges.

Autres mystifiés de la colonisation

Et c'est encore leur situation concrète, économique, psychologique, dans le complexe colonial, par rapport aux colonisés d'une part, aux colonisateurs d'autre part, qui rendra compte de la physionomie des autres groupes humains; ceux qui ne sont ni colonisateurs ni colonisés. Les nationaux des autres puissances (Italiens, Maltais de Tunisie), les candidats à l'assimilation (la majorité des Juifs), les assimilés de fraîche date (Corses en Tunisie, Espagnols en Algérie). On peut y ajouter les agents de l'autorité recrutés parmi les colonisés eux-mêmes.

La pauvreté des Italiens ou des Maltais est telle qu'il peut sembler risible de parler à leur sujet de privilèges. Pourtant, s'ils sont souvent misérables, les petites miettes qu'on leur accorde sans y penser contribuent à les différencier, à les séparer sérieusement des colonisés. Plus ou moins avantagés par rapport aux masses colonisées, ils ont tendance à établir avec elles des relations du style colonisateur-colonisé. En même temps, ne coïncidant pas avec le groupement colonisateur, n'en ayant pas le même rôle dans le complexe colonial, ils s'en distinguent chacun à leur manière.

Toutes ces nuances sont aisément lisibles dans l'analyse de leurs relations avec le fait colonial. Si les Italiens de Tunisie ont toujours envié aux Français leurs privilèges juridiques et administratifs, ils sont tout de même en meilleure posture que les colonisés. Ils sont protégés par des lois internationales et un consulat fort présent, sous le constant regard d'une métropole attentive. Souvent, loin d'être refusés par le colonisateur, ce sont eux qui hésitent entre l'assimilation et la fidélité à leur patrie. Enfin, une même origine européenne, une religion commune, une majorité de traits de mœurs identiques les rapprochent sentimentalement du colonisateur. Il résulte de tout cela des avantages certains, que ne possède certes pas le colonisé : une embauche plus aisée, une insécurité moins grande contre la totale misère et la maladie, une scolarisation moins précaire; quelques égards enfin de la part du colonisateur, une dignité à peu près respectée. On comprendra que, pour déshérités qu'ils soient dans l'absolu, ils auront vis-à-vis du colonisé plusieurs conduites communes avec le colonisateur.

Contre-épreuve : ne bénéficiant de la colonisation que par emprunt, par leur cousinage avec le colonisateur, les Italiens sont bien moins éloignés des colonisés que ne le sont les Français. Ils n'ont pas avec eux ces relations guindées, formelles, ce ton qui sent toujours le maître s'adressant à l'esclave, dont ne peut se débarrasser tout à fait le Français. Contrairement aux Français, les Italiens parlent presque tous la langue des colonisés, contractent avec eux des amitiés durables et même, signe particulièrement révélateur, des mariages mixtes. En somme, n'y trouvant pas grand intérêt, les Italiens ne maintiennent pas une grande distance entre eux et les colonisés. La même analyse serait valable, à quelques nuances près, pour les Maltais.

La situation des Israélites – éternels candidats hésitants et refusés à l'assimilation – peut être envisagée dans une perspective similaire. Leur ambition constante, et combien justifiée, est d'échapper à leur condition de colonisé, charge supplémentaire dans un bilan déjà lourd. Pour cela, ils s'efforcent de ressembler au colonisateur, dans l'espoir avoué qu'il cesse de les reconnaître différents de lui. D'où leurs efforts pour oublier le passé, pour changer d'habitudes collectives, leur adoption enthousiaste de la langue, de la culture et des mœurs occidentales. Mais si le colonisateur ne décourage pas toujours ouvertement ces candidats à sa ressemblance, il ne leur a jamais permis non plus de la réussir. Ils vivent ainsi une pénible et constante ambiguïté; refusés par le colonisateur, ils partagent en partie la situation concrète du colonisé, ont avec lui des solidarités de fait; par ailleurs, ils refusent les valeurs de colonisé comme appartenant à un monde déchu, auquel ils espèrent échapper avec le temps.

Les assimilés de fraîche date se situent généralement bien au-delà du colonisateur moyen. Ils pratiquent une surenchère colonisatrice; étalent un mépris orgueilleux du colonisé et rappellent avec insistance leur noblesse d'emprunt, que vient démentir souvent une brutalité roturière et leur avidité. Trop étonnés encore de leurs privilèges, ils les savourent et les défendent avec inquiétude et âpreté. Et lorsque la colonisation vient à être en péril, ils lui fournissent ses défenseurs les plus dynamiques, ses troupes de choc, et quelquefois ses provocateurs.

Les agents de l'autorité, cadres, caïds, policiers, etc., recrutés parmi les colonisés, forment une catégorie de colonisés qui prétend échapper à sa condition politique et sociale. Mais choisissant de se mettre pour cela au service du colonisateur et de défendre exclusivement ses intérêts, ils finissent par en adopter l'idéologie, même à l'égard des leurs et d'eux-mêmes.

Tous enfin, plus ou moins mystifiés, plus ou moins bénéficiaires, abusés au point d'accepter l'injuste système (de le défendre ou de s'y résigner) qui pèse le plus lourdement sur le colonisé. Leur mépris peut n'être qu'une compensation, à leur misère, comme l'antisémitisme européen est si souvent un dérivatif commode. Telle l'histoire de la pyramide des tyranneaux : chacun, socialement opprimé par un plus puissant que lui, trouve toujours un moins puissant pour se reposer sur lui, et se faire tyran à son tour. Quelle revanche et quelle fierté pour un petit menuisier non colonisé de cheminer côte à côte avec un manœuvre arabe portant sur la tête une planche et quelques clous! Pour tous, il y a au moins cette profonde satisfaction d'être négativement mieux que le colonisé : ils ne sont jamais totalement confondus dans l'abjection où les refoule le fait colonial.

Du colonial au colonisateur

Le colonial n'existe pas, parce qu'il ne dépend pas de l'Européen des colonies de rester un colonial, si même il en avait eu l'intention. Qu'il l'ait désiré expressément ou non, il est accueilli en privilégié par les institutions, les mœurs et les gens. Aussitôt débarqué ou dès sa naissance, il se trouve dans une situation de fait, commune à tout Européen vivant en colonie, situation qui le transforme en colonisateur. Mais ce n'est pas à ce niveau, en vérité, que se situe le problème éthique fondamental du colonisateur : celui de l'engagement de sa liberté et donc de sa responsabilité. Il aurait pu, certes, ne pas tenter l'aventure coloniale, mais sitôt l'entreprise commencée, il ne dépend pas de lui d'en refuser les conditions. Encore faut-il ajouter qu'il pouvait se trouver soumis à ces conditions, indépendamment de tout choix préalable, s'il est né en colonie de parents déjà colonisateurs, ou s'il a vraiment ignoré, lors de sa décision, le sens réel de la colonisation.

C'est à un deuxième palier que va se poser le véritable problème du colonisateur : une fois qu'il a découvert le sens de la colonisation et pris conscience de sa propre situation, de celle du colonisé, et de leurs nécessaires relations, va-t-il les accepter ? Va-t-il s'accepter ou se refuser comme privilégié, et confirmer la misère du colonisé, corrélatif inévitable de ses privilèges ? Comme usurpateur, et confirmer l'oppression et l'injustice à l'égard du véritable habitant de la colonie, corrélatives de son excessive liberté et de son prestige ? Va-t-il enfin s'accepter comme colonisateur, cette figure de lui-même qui le guette, qu'il sent se façonner déjà, sous l'habitude naissante du privilège et de l'illégitimité, sous le constant regard de l'usurpé ? Va-t-il s'accommoder de cette situation et de ce regard et de sa propre condamnation de lui-même, bientôt inévitable ?

2

LE COLONISATEUR QUI SE REFUSE

Le colonisateur de bonne volonté...

Si tout colonial est en posture immédiate de colonisateur, il n'y a pas de fatalité pour tout colonisateur à devenir un colonialiste. Et les meilleurs s'y refusent. Mais le fait colonial n'est pas une pure idée : ensemble de *situations vécues*, le refuser c'est soit se soustraire physiquement à ces situations, soit demeurer sur place à lutter pour les transformer.

Il arrive que le nouveau débarqué, aux hasards d'une embauche ou fonctionnaire à bonnes intentions – plus rarement hommes d'affaires ou agent d'autorité, moins étourdi ou moins naïf –, stupéfait dès ses premiers contacts avec les menus aspects de la colonisation, la multitude des mendiants, les enfants qui errent à moitié nus, le trachome, etc., mal à l'aise devant une aussi évidente organisation de l'injustice, révolté par le cynisme de ses propres compatriotes (« Ne faites pas attention à la misère! vous verrez : on s'y habitue très vite! »), songe aussitôt à repartir. Obligé d'attendre la fin du contrat, il risque en effet de se faire à la misère, et au reste. Mais il arrive que celui-là, qui ne s'était voulu qu'un colonial, ne s'habitue pas : il repartira donc.

Il arrive aussi que, pour des raisons diverses, il ne reparte pas. Mais ayant découvert, et incapable d'oublier, le scandale économique, politique et moral de la colonisation, il ne peut plus accepter devenir ce que sont devenus ses compatriotes; il décide de rester en se promettant de refuser la colonisation.

...et ses difficultés

Oh! ce n'est pas nécessairement un refus violent. Cette indignation ne s'accompagne pas toujours d'un goût pour la politique agissante. C'est plutôt une position de principe, quelques affirmations qui n'effrayeraient pas un congrès de modérés, du moins en métropole. Une protestation, une signature de temps en temps, peut-être ira-t-il jusqu'à l'adhésion à un groupement non systématiquement hostile au colonisé. C'en est déjà assez pour qu'il s'aperçoive rapidement qu'il n'a fait que changer de difficultés et de malaise. Il n'est pas si facile de s'évader, par l'esprit, d'une situation concrète, d'en refuser l'idéologie tout en continuant à en vivre les relations objectives. Sa vie se trouve désormais placée sous le signe d'une contradiction qui surgit à chacun de ses pas, qui lui enlèvera toute cohérence et toute quiétude.

Que refuse-t-il, en effet, sinon une partie de lui-même, ce qu'il devient lentement sitôt qu'il accepte de vivre en colonie? Car ces privilèges qu'il dénonce à mi-voix, il en participe, il en jouit. Reçoit-il un traitement moindre que celui de ses compatriotes? Ne profite-t-il pas des mêmes facilités pour voyager? Comment ne calculerait-il pas, distraitement, qu'il pourra bientôt se payer une voiture, un frigidaire, peut-être une maison? Comment s'y prendrait-il pour se débarrasser de ce prestige qui l'auréole et dont il se veut scandalisé?

Arriverait-il à émousser un peu sa contradiction, à s'organiser dans cet inconfort que ses compatriotes se chargeraient de le secouer. D'abord avec une ironique indulgence; ils ont connu, ils connaissent cette inquiétude un peu niaise du nouveau débarqué; elle lui passera à l'épreuve de la vie coloniale, sous une multitude de petites et agréables compromissions.

Elle *doit* lui passer, insistent-ils, car le romantisme humanitariste est considéré en colonie comme une maladie grave, le pire des dangers : ce n'est ni plus ni moins que le passage au camp de l'ennemi.

S'il s'obstine, il apprendra qu'il s'embarque pour un inavouable conflit avec les siens, qui restera toujours ouvert, qui ne cessera jamais, sinon par sa défaite ou par son retour au bercail colonisateur. On s'est étonné de la violence des colonisateurs contre celui d'entre eux qui met en péril la colonisation. Il est clair qu'ils ne peuvent le considérer que comme un traître. Il met en question les siens dans leur existence même, il menace toute la patrie métropolitaine, qu'ils prétendent représenter, et qu'en définitive ils représentent en colonie. L'incohérence n'est pas de leur côté. Que serait, en toute rigueur, le résultat logique de l'attitude du colonisateur qui refuse la colonisation? Sinon de souhaiter sa disparition, c'est-à-dire la disparition des colonisateurs en tant que tels? Comment ne se défendraient-ils pas avec âpreté contre une attitude qui aboutirait à leur immolation, sur l'autel de la justice peut-être, mais enfin à leur sacrifice? Encore s'ils reconnaissaient entièrement l'injustice de leurs positions. Mais eux, précisément, l'ont acceptée, s'en sont accommodés, grâce à des moyens que nous verrons. S'il ne peut dépasser cet insupportable moralisme qui l'empêche de vivre, s'il y croit si fort, qu'il commence par s'en aller : il fera la preuve du sérieux de ses sentiments et réglera ses problèmes... et cessera d'en créer à ses compatriotes. Sinon il ne faut pas qu'il espère continuer à les harceler en toute tranquillité. Ils passeront à l'attaque et lui rendront coup pour coup; ses camarades deviendront hargneux, ses supérieurs le menaceront; jusqu'à sa femme qui s'y mettra et pleurera – les femmes ont moins le souci de l'humanité abstraite – et elle l'avoue, les colonisés ne lui sont rien et elle ne se sent à l'aise que parmi les Européens.

N'y a-t-il, alors, d'autre issue que la soumission au sein de la collectivité coloniale ou le départ? Si, encore une. Puisque sa rébellion lui a fermé les portes de la colonisation et l'isole au milieu du désert colonial, pourquoi ne frapperait-il pas à celle du colonisé qu'il défend et qui, sûrement, lui ouvrirait les bras avec reconnaissance? Il a découvert que l'un des camps était celui de l'injustice, l'autre est donc celui du droit. Qu'il fasse un pas de plus, qu'il aille jusqu'au bout de sa révolte, la colonie ne se limite pas aux Européens! Refusant les colonisateurs, condamné par eux, qu'il adopte les colonisés et s'en fasse adopter : qu'il se fasse transfuge.

En vérité, si peu nombreux sont les colonisateurs, même de très bonne volonté, qui songent à emprunter sérieusement cette voie, que le problème est plutôt théorique; mais il est capital pour l'intelligence du fait colonial. Refuser la colonisation est une chose, adopter le colonisé et s'en faire adopter en semblent d'autres, qui sont loin d'être liées.

Pour réussir cette deuxième conversion, il aurait fallu, semble-t-il, que notre homme fût un héros moral; et bien avant, le vertige le gagne. En toute rigueur, avons-nous dit, il aurait fallu qu'il rompît économiquement et administrativement avec le camp des oppresseurs. Ce serait la seule manière de leur fermer la bouche. Quelle démonstration décisive que d'abandonner le quart de son traitement ou de négliger les faveurs de l'administration! Laissons cela, cependant; on admet fort bien aujourd'hui que l'on puisse être, en attendant la révolution, révolutionnaire et exploiteur. Il découvre que si les colonisés ont la justice pour eux, s'il peut aller jusqu'à leur apporter son approbation et même son aide, sa solidarité s'arrête là : *il n'est pas des leurs et n'a nulle envie d'en être.* Il entrevoit vaguement le jour de leur libération, la reconquête de leurs droits, il ne songe pas sérieusement à partager leur existence même libérée.

Une trace de racisme? Peut-être, sans qu'il s'en rende trop compte. Qui peut s'en défaire complètement dans un pays où tout le monde en est atteint, victimes comprises? Est-il si naturel d'assumer, même par la pensée, sans y être obligé, un destin sur lequel pèse un si lourd mépris? Comment s'y prendrait-il d'ailleurs pour attirer sur lui ce mépris qui colle à la personne du colonisé? Et comment aurait-il l'idée de partager une éventuelle libération, alors qu'il est déjà libre? Tout cela, vraiment, n'est qu'un exercice mental.

Et puis non, ce n'est pas nécessairement du racisme! Simplement, il a eu le temps de se rendre compte que la colonie n'est pas un prolongement de la métropole, qu'il n'y est pas chez lui. Cela n'est pas contradictoire avec ses positions de principe. Au contraire, parce qu'il a découvert le colonisé, son originalité existentielle, parce que soudain le colonisé a cessé d'être un élément d'un rêve exotique pour devenir humanité vivante et souffrante, le colonisateur refuse de participer à son écrasement, décide de lui venir en aide. Mais du même coup, il a compris qu'il n'a pas fait que changer de département : il a devant lui une civilisation autre, des mœurs différentes des siennes, des hommes dont les réactions le surprennent souvent, avec lesquels il ne se sent pas d'affinités profondes.

Et puisque nous en sommes là, il faut bien qu'il se l'avoue – même s'il refuse d'en convenir avec les colonialistes –, il ne peut s'empêcher de juger cette civilisation et ces gens. Comment nier que leur technique est gravement retardataire, leurs mœurs bizarrement figées, leur culture périmée ? Oh ! il se hâte de se répondre : ces manques ne sont pas imputables aux colonisés, mais à des décennies de colonisation, qui ont chloroformé leur histoire. Certains arguments des colonialistes le troublent quelquefois : par exemple, *avant* la colonisation, les colonisés n'étaient-ils pas déjà en retard ? S'ils se sont laissé coloniser, c'est précisément qu'ils n'étaient pas de taille à lutter, ni militairement ni techniquement. Certes, leur défaillance passée ne signifie rien pour leur avenir ; nul doute que si la liberté leur était rendue, ils rattraperaient ce retard ; il a toute confiance dans le génie des peuples, de tous les peuples. Il reste cependant qu'il admet une différence fondamentale entre le colonisé et lui. Le fait colonial est un fait historique spécifique, la situation et l'état du colonisé, actuels bien entendu, sont tout de même particuliers. Il admet aussi que ce n'est ni son fait, ni sa situation, ni son état actuel à lui.

Plus sûrement que les grands bouleversements intellectuels, les petites usures de la vie quotidienne le confirmeront dans cette découverte décisive. Il a mangé le couscous au début par curiosité, maintenant il y goûte de temps en temps par politesse, il trouve que « ça bourre, ça abrutit et ne nourrit pas, c'est, dit-il plaisamment, de l'étouffe-chrétien ». Ou s'il aime le couscous, il ne peut supporter cette « musique de foire », qui le happe et l'assomme chaque fois qu'il passe devant un café; « pourquoi si fort? Comment font-ils pour s'entendre? » Il souffre de cette odeur de vieille graisse de mouton qui empeste la maison, depuis la soupente sous l'escalier, où habite le gardien colonisé. Beaucoup de traits du colonisé le choquent ou l'irritent; il a des répulsions qu'il n'arrive pas à cacher et qu'il manifeste en des remarques, qui rappellent curieusement celles du colonialiste. En vérité, il est loin ce moment où il était sûr, *a priori*, de l'identité de la nature humaine sous toutes les latitudes. Il y croit encore, certes, mais plutôt comme à une universalité abstraite ou un idéal situé dans l'avenir de l'histoire...

Vous allez trop loin, dira-t-on, votre colonisateur de bonne volonté ne l'est plus autant : il a lentement évolué, n'est-il pas déjà colonialiste? Pas du tout; l'accusation serait le plus souvent hâtive et injuste. Simplement on ne peut *vivre*, et toute sa vie, dans ce qui demeure pour vous du pittoresque, c'est-à-dire à un degré plus ou moins intense du dépaysement. On peut s'y intéresser en touriste, s'y passionner un temps, on finit par s'en lasser, par se défendre contre lui. Pour vivre sans angoisse, il faut vivre distrait de soi-même et du monde; il faut reconstituer autour de soi les odeurs et les bruits de son enfance, qui seuls sont économiques, car ils ne demandent que des gestes et des attitudes mentales spontanés. Il serait aussi absurde d'exiger une telle syntonie de la part du colonisateur de bonne volonté, que de demander aux intellectuels de gauche de singer les ouvriers, comme ce fut de mode un moment. Après s'être obstiné quelque temps à paraître débraillé, à garder indéfiniment ses chemises, à porter des souliers à clous, il fallut bien reconnaître la stupidité de l'entreprise. Ici, pourtant, la langue, le fond de la cuisine sont communs, les loisirs portent sur les mêmes thèmes et les femmes suivent le même rythme de la mode. Le colonisateur ne peut que renoncer à une quelconque identification avec le colonisé.

– Pourquoi ne pas coiffer la chéchia dans les pays arabes et ne pas se teindre la figure en noir dans les pays nègres ? m'a rétorqué un jour avec irritation un instituteur.

Il n'est pas indifférent d'ajouter que cet instituteur était communiste.

La politique et le colonisateur de bonne volonté

Cela dit, je veux bien admettre qu'il faille éviter un romantisme excessif de la différence. On peut penser que les difficultés d'adaptation du colonisateur de bonne volonté n'ont pas une importance considérable; que l'essentiel est la fermeté de l'attitude idéologique, la condamnation de la colonisation. A condition, évidemment, que ces difficultés ne finissent pas par gêner la rectitude du jugement éthique. Être de gauche ou de droite, n'est pas seulement une manière de penser, mais aussi (peut-être surtout) une manière de sentir et de vivre. Notons simplement que bien rares sont les colonisateurs qui ne se laissent pas envahir par ces répulsions et ces doutes, et d'autre part, que ces nuances doivent être prises en considération pour comprendre leurs relations avec le colonisé et le fait colonial.

Supposons donc que notre colonisateur de bonne

volonté ait réussi à mettre entre parenthèses, à la fois le problème de ses propres privilèges et celui de ses difficultés affectives. Il ne nous reste en effet à considérer que son attitude idéologique et politique.

Il était communiste ou socialiste de toutes nuances, ou simplement démocrate ; il l'est demeuré en colonie. Il est décidé, quels que soient les avatars de sa propre sensibilité individuelle ou nationale, à continuer de l'être ; mieux encore, à agir en communiste, socialiste ou démocrate, c'est-à-dire à œuvrer pour l'égalité économique et la liberté sociale, ce qui doit se traduire en colonie par la lutte pour la libération du colonisé et l'égalité entre colonisateurs et colonisés.

Le nationalisme et la gauche

Nous touchons là à l'un des chapitres les plus curieux de l'histoire de la gauche contemporaine (si on avait osé l'écrire) et qu'on pourrait intituler le nationalisme et la gauche. L'attitude politique de l'homme de gauche à l'égard du problème colonial en serait un paragraphe ; les relations humaines vécues par le colonisateur de gauche, la manière dont il refuse et vit la colonisation en formerait un autre.

Il existe un incontestable malaise de la gauche européenne en face du nationalisme. Le socialisme s'est voulu, depuis si longtemps déjà, de vocation internationaliste que cette tradition a semblé définitivement liée à sa doctrine, faire partie de ses principes fondamentaux. Chez les hommes de gauche de ma génération, le mot de nationaliste provoque encore une réaction de méfiance sinon d'hostilité. Lorsque l'U.R.S.S., « patrie internationale » du socialisme, se posa en nation – pour des raisons qu'il serait long d'examiner ici –, ses raisons ne parurent guère convaincantes à beaucoup de ses admirateurs les plus dévoués. Dernièrement, on s'en souvient, les gouvernements des peuples menacés par le nazisme ont fait appel, après une brève hésitation, aux ripostes nationales, un peu oubliées. Cette fois, les partis ouvriers, préparés par l'exemple russe, le danger étant imminent, ayant découvert que le sentiment national restait puissant parmi leurs troupes, ont répondu et collaboré à cet appel. Le parti communiste français l'a même repris à son compte et s'est revendiqué comme « parti national » réhabilitant le drapeau tricolore et la *Marseillaise*. Et c'est encore cette tactique – ou ce renouveau – qui a prévalu après la guerre, contre l'investissement de ces vieilles nations par la jeune Amérique. Au lieu de se battre au nom de l'idéologie socialiste contre un danger capitaliste, les partis communistes, et une grande partie de la gauche, ont préféré opposer une entité nationale à une autre entité nationale, assimilant assez fâcheusement Américains et capitalistes. De tout cela, il a résulté une gêne certaine dans l'attitude socialiste à l'égard du nationalisme, un flottement dans l'idéologie des partis ouvriers. La réserve des journalistes et des essayistes de gauche devant ce problème est, à cet égard, fort significative. Ils l'envisagent le moins possible; ils n'osent ni le condamner ni l'approuver; ils ne savent comment ni s'ils veulent l'intégrer, le faire passer dans leur compréhension de l'avenir historique. En un mot, la gauche actuelle est dépaysée devant le nationalisme.

Or, pour de multiples causes, historiques, sociologiques et psychologiques, la lutte des colonisés pour leur libération a pris une physionomie nationale et nationaliste accusée. Si la gauche européenne ne peut qu'approuver, encourager et soutenir cette lutte, comme tout espoir de liberté, elle éprouve une hésitation très profonde, une inquiétude réelle devant la forme nationaliste de ces tentatives de libération. Il y a plus : le renouveau nationaliste des partis ouvriers est surtout une *forme* pour un même *contenu socialiste*. Tout se passe comme si la libération sociale, qui reste le but ultime, faisait un avatar à forme nationale plus ou moins durable; simplement les Internationales avaient enterré trop tôt les nations. Or l'homme de gauche n'aperçoit pas toujours avec une évidence suffisante le contenu social prochain de la lutte des colonisés nationalistes. En bref, l'homme de gauche ne retrouve dans la lutte du colonisé, qu'il soutient *a priori*, ni les moyens traditionnels ni les buts derniers de cette gauche dont il fait partie. Et bien entendu, cette inquiétude, ce dépaysement sont singulièrement aggravés chez le colonisateur de gauche, c'est-à-dire l'homme de gauche qui vit en colonie et fait ménage quotidien avec ce nationalisme.

Prenons un exemple parmi les moyens utilisés dans cette lutte : le terrorisme. On sait que la tradition de gauche condamne le terrorisme et l'assassinat politique. Lorsque les colonisés en vinrent à les employer, l'embarras du colonisateur de gauche fut très grave. Il s'efforce de les détacher de l'action *volontaire* du colonisé, d'en faire un épiphénomène de sa lutte : ce sont, assure-t-il, des explosions spontanées de masses trop longtemps opprimées, ou mieux des agissements d'éléments instables, douteux, difficilement contrôlables par la tête du mouvement. Bien rares furent ceux, même en Europe, qui aperçurent et admirent, osèrent dire que l'écrasement du colonisé était tel, telle était la disproportion des forces, qu'il en était venu, moralement à tort ou à raison, à utiliser *volontairement* ces moyens. Le colonisateur de gauche avait beau faire des efforts, certains actes lui parurent incompréhensibles, scandaleux et politiquement absurdes; par exemple la mort d'enfants ou d'étrangers à la lutte, ou même de colonisés qui, sans s'opposer au fond, désapprouvaient tel détail de l'entreprise. Au début, il fut tellement troublé qu'il ne trouvait pas mieux que de *nier* de tels actes; ils ne pouvaient trouver aucune place, en effet, dans *sa* perspective du problème. Que ce soit la cruauté de l'oppression qui explique l'aveuglement de la réaction lui parut à peine un argument : il ne peut approuver chez le colonisé ce qu'il combat dans la colonisation, ce pourquoi précisément il condamne la colonisation.

Puis, après avoir soupçonné à chaque fois la nouvelle d'être fausse, il dit, en désespoir de cause, que de tels agissements sont des *erreurs*, c'est-à-dire qu'ils *ne devraient pas* faire partie de l'essence du mouvement. Les chefs certainement les désapprouvent, affirme-t-il courageusement. Un journaliste qui a toujours soutenu la cause des colonisés, las d'attendre des condamnations qui ne venaient pas, finit un jour par mettre publiquement en demeure certains chefs de prendre position contre les attentats. Bien entendu, il ne reçut aucune réponse; il n'eut pas la naïveté supplémentaire d'insister.

Devant ce silence, que restait-il à faire? A interpréter. Il se mit à s'expliquer le phénomène, à l'expliquer aux autres, au mieux de son malaise : mais jamais, notons-le, à le *justifier*. Les chefs, ajoute-t-il maintenant, ne peuvent pas parler, ils ne parleront pas, mais ils n'en pensent pas moins. Il aurait accepté avec soulagement, avec joie, le moindre signe d'intelligence. Et comme ces signes ne peuvent pas venir, il se trouve placé devant une alternative redoutable; ou, assimilant la situation coloniale à n'importe quelle autre, il doit lui appliquer les mêmes schèmes, la juger et juger le colonisé suivant ses valeurs traditionnelles, ou considérer la conjoncture coloniale comme originale et renoncer à ses habitudes de pensée politique, à ses valeurs, c'est-à-dire précisément à ce qui l'a poussé à prendre parti. En somme, ou il ne reconnaît pas le colonisé, ou il ne se reconnaît plus. Cependant, ne pouvant se résoudre à choisir une de ces voies, il reste au carrefour et s'élève dans les airs : il prête aux uns et aux autres des arrière-pensées à sa convenance, reconstruit un colonisé suivant ses vœux; bref il se met à fabuler.

Il n'est pas moins troublé sur l'avenir de cette libération, du moins sur son avenir prochain. Il est fréquent que la future nation, qui se devine, s'affirme déjà par-delà la lutte, se veut religieuse par exemple ou ne révèle aucun souci de la liberté. Là encore il n'y a d'autre issue que de lui supposer une pensée cachée, plus hardie et plus généreuse : dans le fond de leur cœur, tous les combattants lucides et responsables sont autre chose que des théocrates, ont le goût et la vénération de la liberté. C'est la conjoncture qui leur impose de déguiser leurs vrais sentiments; la foi étant trop vive encore chez les masses colonisées, ils doivent en tenir compte. Ils ne manifestent pas de préoccupations démocratiques? Obligés d'accepter tous les concours, ils évitent ainsi de heurter les possédants, bourgeois et féodaux.

Cependant les faits indociles ne viennent presque jamais se ranger à la place que leur assignent ses hypothèses; et le malaise du colonisateur de gauche reste vivace, toujours renaissant. Les chefs colonisés ne peuvent pas fronder les sentiments religieux de leurs troupes, il l'a admis, mais de là à s'en servir! Ces proclamations au nom de Dieu, le concept de guerre sainte, par exemple, le dépayse, l'effraye. Est-ce vraiment pure tactique? Comment ne pas constater que la plupart des nations ex-colonisées s'empressent, aussitôt libres, d'inscrire la religion dans leur constitution? Que leurs polices, leurs juridictions naissantes ne ressemblent guère aux prémisses de la liberté et de la démocratie que le colonisateur de gauche attendait?

Alors, tremblant au fond de lui-même de se tromper une fois de plus, il reculera encore d'un pas, il fera un pari, sur un avenir un peu plus lointain : *Plus tard,* assurément, il surgira du sein de ces peuples des guides qui exprimeront leurs besoins non mystifiés, qui défendront leurs véritables intérêts, en accord avec les impératifs moraux (et socialistes) de l'histoire. Il était inévitable que seuls les bourgeois et les féodaux, qui ont pu faire quelques études, fournissent des cadres et impriment cette allure au mouvement. *Plus tard* les colonisés se débarrasseront de la xénophobie et des tentations racistes, que le colonisateur de gauche discerne non sans inquiétude. Réaction inévitable au racisme et à la xénophobie du colonisateur; il faut attendre que disparaissent le colonialisme et les plaies qu'il a laissées dans la chair des colonisés. Plus tard, ils se débarrasseront de l'obscurantisme religieux...

Mais en attendant, sur le sens du combat immédiat, le colonisateur de gauche ne peut que rester divisé. Être de gauche, pour lui, ne signifie pas seulement accepter et aider la libération nationale des peuples, mais aussi la démocratie politique et la liberté, la démocratie économique et la justice, le refus de la xénophobie raciste et l'universalité, le progrès matériel et spirituel. Et si toute gauche véritable doit souhaiter et aider la promotion nationale des peuples, c'est aussi, pour ne pas dire surtout, parce que cette promotion signifie tout cela. Si le colonisateur de gauche refuse la colonisation et se refuse comme colonisateur, c'est au nom de cet idéal. Or il découvre qu'il n'y a pas de liaison entre la libération des colonisés et l'application d'un programme de gauche. Mieux encore, qu'il aide peut-être à la naissance d'un ordre social où *il n'y a pas de place pour un homme de gauche en tant que tel,* du moins dans un avenir prochain.

Il arrive même que pour des raisons diverses – pour se ménager la sympathie de puissances réactionnaires, pour réaliser une union nationale ou par conviction – les mouvements de libération bannissent *dès maintenant* l'idéologie de la gauche et refusent systématiquement son aide, la mettant ainsi dans un insupportable embarras, la condamnant à la stérilité. Alors, en tant que militant de gauche, le colonisateur se trouve même pratiquement exclu du mouvement de libération coloniale.

Le transfuge

Ses difficultés mêmes, par ailleurs, cette hésitation qui ressemble curieusement, vue de l'extérieur, à du repentir, l'excluent davantage encore; le laissent suspect, non seulement aux yeux du colonisé mais aussi auprès des gens de la gauche métropolitaine; ce dont il souffre le plus. Il s'est coupé des Européens de la colonie mais il l'a voulu, il méprise leurs injures, il en tire même orgueil. Mais les gens de gauche sont les véritables siens, les juges qu'il se donne, auprès de qui il tient à justifier sa vie en colonie. Or ses pairs et ses juges ne le comprennent guère; la moindre de ses timides réserves ne soulève que méfiance et indignation. Eh quoi, lui disent-ils, un peuple attend, qui souffre de faim, de maladie et de mépris, un enfant sur quatre meurt dans sa première année, et, lui, demande des assurances sur les moyens et la fin! Que de conditions ne pose-t-il pas à sa collaboration! Il s'agit bien dans cette affaire d'éthique et d'idéologie! la seule tâche pour le moment est de libérer ce peuple. Quant à l'avenir il sera toujours temps de s'en occuper lorsqu'il se fera présent. Pourtant, insiste-t-il, on peut déjà prévoir la physionomie de l'après-libération... On le fera taire avec un argument décisif – en ceci qu'il est un refus pur et simple d'envisager cet avenir – on lui dira que le destin du colonisé ne le regarde pas, ce que le colonisé fera de sa liberté ne concerne que lui.

C'est alors qu'il ne comprend plus du tout. S'il veut aider le colonisé, c'est justement parce que son destin le regarde, parce que leurs destins se recoupent, se concernent l'un l'autre, parce qu'il espère continuer à vivre en colonie. Il ne peut s'empêcher de penser avec amertume que l'attitude des gens de gauche en métropole est bien abstraite. Bien sûr, à l'époque de la résistance contre les nazis, la seule tâche qui s'imposait et unissait tous les combattants était la libération. Mais tous luttaient aussi pour un certain avenir politique. Si l'on avait assuré les groupes de gauche par exemple que le régime futur serait théocratique et autoritaire, ou les groupes de droite qu'il serait communiste, s'ils avaient compris que pour des raisons sociologiques impérieuses ils seraient écrasés après la lutte, auraient-ils continué les uns et les autres à se battre? Peut-être; mais aurait-on trouvé leurs hésitations, leurs inquiétudes tellement scandaleuses? le colonisateur de gauche se demande s'il n'a pas péché par orgueil en croyant le socialisme exportable et le marxisme universel. Dans cette affaire, il l'avoue, il se croyait le droit de défendre sa conception du monde d'après laquelle il espérait régler sa vie.

Mais encore un coup : puisque tout le monde semble d'accord, la gauche métropolitaine et le colonisé (rejoignant curieusement là-dessus le colonialiste, lequel affirme l'hétérogénéité des mentalités), puisque tout le monde lui crie « bonsoir Basile! » il se soumettra. Il soutiendra la libération *inconditionnelle* des colonisés, avec les moyens dont ils se servent, et l'avenir qu'ils semblent s'être choisi. Un journaliste du meilleur hebdomadaire de la gauche française a fini par admettre que la condition humaine puisse signifier le Coran et la Ligue arabe. Le Coran, soit; mais la Ligue arabe! la juste cause d'un peuple doit-elle impliquer ses mystifications et ses erreurs ? Pour ne pas être exclu ou suspect, le colonisateur de gauche acceptera cependant tous les thèmes idéologiques des colonisés en lutte : *il oubliera provisoirement qu'il est de gauche.*

En a-t-il fini ? Rien n'est moins sûr. Car pour réussir à devenir un transfuge, comme il s'y est résolu enfin, il ne suffit pas d'accepter totalement ceux dont on souhaite être adopté, il faut encore être adopté par eux.

Le premier point n'allait pas sans difficultés ni contradiction grave, puisqu'il lui fallait abandonner ce pourquoi il faisait tant d'efforts, c'est-à-dire ses valeurs politiques. Ni sans une quasi-utopie, dont nous nous sommes accordé la possibilité. L'intellectuel ou le bourgeois progressiste peut souhaiter que s'émousse un jour ce qui le sépare de ses camarades de lutte; ce sont des caractéristiques de classe auxquelles il renoncerait volontiers. Mais on n'aspire pas sérieusement à changer de langue, de mœurs, d'appartenance religieuse, etc., même pour le calme de sa conscience, ni même pour sa sécurité matérielle.

Le deuxième point n'est pas plus aisé. Pour qu'il s'insère véritablement dans le contexte de la lutte coloniale, il ne suffit pas de sa totale bonne volonté, il faut encore que son adoption par le colonisé soit possible : *or il soupçonne qu'il n'aura pas de place dans la future nation.* Ce sera la dernière découverte, la plus bouleversante pour le colonisateur de gauche, celle qu'il fait souvent à la veille de la libération des colonisés, alors qu'en vérité elle était prévisible dès le départ.

Pour comprendre ce point, il faut avoir en tête ce trait essentiel de la nature du fait colonial : la situation coloniale est relation de peuple à peuple. Or, il fait partie du peuple oppresseur et sera, qu'il le veuille ou non, condamné à partager son destin, comme il en a partagé la fortune. Si les siens, les colonisateurs, devaient un jour être chassés de la colonie, le colonisé ne fera probablement pas d'exception pour lui ; s'il pouvait continuer à vivre au milieu des colonisés, comme un étranger toléré, il supporterait, avec les anciens colonisateurs, la rancune d'un peuple autrefois brimé par eux ; si la puissance de la métropole devait au contraire durer en colonie, il continuerait à récolter sa part de haine, malgré ses manifestations de bonne volonté. A vrai dire, le style d'une colonisation ne dépend pas d'un ou de quelques individus généreux ou lucides. Les relations coloniales ne relèvent pas de la bonne volonté ou du geste individuel ; elles existaient avant son arrivée ou sa naissance ; qu'il les accepte ou les refuse ne les changera pas profondément ; ce sont elles au contraire qui, comme toute institution, déterminent *a priori* sa place et celle du colonisé et, en définitive, leurs véritables rapports. Il aura beau se rassurer : « J'ai toujours été ceci ou cela avec les colonisés », il soupçonne, ne serait-il aucunement coupable comme individu, qu'il participe d'une responsabilité collective, en tant que membre d'un groupe national oppresseur. Opprimés en tant que groupe, les colonisés adoptent fatalement une forme de libération nationale et ethnique d'où il ne peut qu'être exclu.

Comment s'empêcherait-il de penser, une fois de plus, que cette lutte n'est pas la sienne ? Pourquoi lutterait-il pour un ordre social où il comprend, accepte et décide qu'il n'y aura pas de place pour lui... ?

Impossibilité du colonisateur de gauche

Serré d'un peu près, le rôle du colonisateur de gauche s'effrite. Il y a, je le crois, des situations historiques impossibles, celle-là en est une. Sa vie actuelle en colonie est finalement inacceptable par l'idéologie du colonisateur de gauche, et si cette idéologie triomphait elle mettrait en question son existence même. La conséquence rigoureuse de cette prise de conscience serait d'abandonner ce rôle.

Il peut essayer, bien entendu, de composer et toute sa vie sera une longue suite d'accommodements. Les colonisés au milieu desquels il vit ne sont donc pas les siens et ne le seront pas. Tout bien pesé, il ne peut s'identifier à eux et ils ne peuvent l'accepter. « Je suis plus à l'aise avec des Européens colonialistes, m'a avoué un colonisateur de gauche au-delà de tout soupçon, qu'avec n'importe lequel des colonisés. » Il n'envisage pas, s'il l'a jamais envisagé, une telle assimilation ; il manque d'ailleurs de l'imagination nécessaire à une telle révolution. Lorsqu'il lui arrive de rêver à un demain, un état social tout neuf où le colonisé cesserait d'être un colonisé, il n'envisage guère, en revanche, une transformation profonde *de sa propre situation et de sa propre personnalité.* Dans cet état nouveau, plus harmonieux, il continuera d'être ce qu'il est, avec sa langue préservée et ses traditions culturelles dominantes. Par une contradiction affective qu'il ne voit pas en lui-même ou refuse de voir, il espère continuer à être Européen de droit divin dans un pays qui ne serait plus la chose de l'Europe; mais cette fois du droit divin de l'amour et de la confiance retrouvée. Il ne serait plus protégé et imposé par son armée mais par la fraternité des peuples. Juridiquement, à peine quelques petits changements administratifs, dont il ne devine pas le goût vécu et les conséquences. Sans en avoir une idée législative claire, il espère vaguement faire partie de la future jeune nation mais il se réserve fermement le droit de rester un citoyen de son pays d'origine. Enfin, il accepte que tout change, appelle de ses vœux la fin de la colonisation, mais se refuse à envisager que cette révolution puisse entraîner un bouleversement de sa situation et de son être. Car c'est trop demander à l'imagination que d'imaginer sa propre fin, même si c'est pour renaître autre; surtout si, comme le colonisateur, on n'apprécie guère cette renaissance.

On comprend maintenant un des traits les plus décevants du colonisateur de gauche : son inefficacité politique. Elle est d'abord en lui. Elle découle du caractère particulier de son insertion dans la conjonction coloniale. Sa revendication, comparée à celle du colonisé, ou même à celle du colonisateur de droite, est aérienne. Où a-t-on vu d'ailleurs une revendication politique sérieuse – qui ne soit pas une mystification ou une fantaisie – qui ne repose sur de solides répondants concrets, que ce soit la masse ou la puissance, l'argent ou la force? Le colonisateur de droite est cohérent quand il exige le statu quo colonial, ou même quand il réclame cyniquement encore plus de privilèges, encore plus de droits; il défend ses intérêts et son mode de vie, il peut mettre en œuvre des forces énormes pour appuyer ses exigences. L'espoir et la volonté du colonisé ne sont pas moins évidents et fondés sur des forces latentes, mal réveillées à elles-mêmes, mais susceptibles de développements étonnants. Le colonisateur de gauche se refuse à faire partie du groupement de ses compatriotes; en même temps il lui est impossible de faire coïncider son destin avec celui du colonisé. Qui est-il politiquement? De qui est-il l'expression, sinon de lui-même, c'est-à-dire d'une force négligeable dans la confrontation?

Sa volonté politique souffrira d'une faille profonde, celle de sa propre contradiction. S'il essaye de fonder un groupement politique, il n'y intéressera jamais que ses pareils, colonisateurs de gauche déjà, ou autres transfuges, ni colonisateurs ni colonisés, eux-mêmes en porte-à-faux. Il ne réussira jamais à attirer la foule des colonisateurs, dont il heurte trop les intérêts et les sentiments; ni les colonisés, car son groupement n'en est ni issu ni porté, comme doivent l'être les partis de profonde expression populaire. Qu'il n'essaye pas de prendre quelque initiative, de déclencher une grève, par exemple; il vérifierait aussitôt son absolue impuissance, son extériorité. Se soumettrait-il à offrir inconditionnellement son aide, il ne serait pas assuré pour cela d'avoir prise sur les événements; elle est le plus souvent refusée et toujours tenue pour négligeable. Au surplus, cet air de gratuité ne fait que mieux souligner son impuissance politique.

Ce hiatus entre son action et celle du colonisé aura des

conséquences imprévisibles et le plus souvent insurmontables. Malgré ses efforts pour rejoindre le réel politique de la colonie, il sera constamment déphasé dans son langage comme dans ses manifestations. Tantôt il hésitera ou refusera telle revendication du colonisé, dont il ne comprendra pas d'emblée la signification, ce qui semblera confirmer sa tiédeur. Tantôt, voulant rivaliser avec les nationalistes les moins réalistes, il se livrera à une démagogie verbale, dont les outrances mêmes augmenteront la méfiance du colonisé. Il proposera des explications ténébreuses et machiavéliques des actes du colonisateur là où le simple jeu de la mécanique colonisatrice aurait suffi. Ou, à l'étonnement agacé du colonisé, il excusera bruyamment ce que ce dernier condamne en lui-même. En somme, refusant le mal, le colonisateur de bonne volonté ne peut jamais atteindre au bien, car *le seul choix qui lui soit permis n'est pas entre le bien et le mal, il est entre le mal et le malaise.*

Il ne peut manquer enfin de s'interroger sur la portée de ses efforts et de sa voix. Ses accès de fureur verbale ne suscitent que la haine de ses compatriotes et laissent le colonisé indifférent. Le colonisateur de gauche ne détenant pas le pouvoir, ses affirmations et ses promesses n'ont aucune influence sur la vie du colonisé. Il ne peut d'autre part dialoguer avec le colonisé, lui poser des questions ou demander des assurances. Il fait partie des oppresseurs et à peine fait-il un geste équivoque, s'oublie-t-il à faire la moindre réserve – et il croit pouvoir se permettre la franchise qu'autorise la bienveillance – le voilà aussitôt suspect. Il admet, par ailleurs, qu'il ne doit pas gêner par des doutes, des interrogations publiques, le colonisé en lutte. Bref, tout lui administre la preuve de son dépaysement, de sa solitude et de son inefficacité. Il découvrira lentement qu'il ne lui reste plus qu'à se taire. Déjà il était obligé de couper ses déclarations de silences suffisants pour ne pas indisposer gravement les autorités de la colonie et être obligé de quitter le pays. Faut-il avouer que ce silence, auquel il s'habitue assez bien, ne lui sera pas un tel déchirement ? Qu'il faisait, au contraire, effort pour lutter au nom d'une justice abstraite pour des intérêts qui ne sont pas les siens, souvent même exclusifs des siens ?

S'il ne peut supporter ce silence et faire de sa vie un perpétuel compromis, s'il est parmi les meilleurs, il peut finir aussi par quitter la colonie et ses privilèges. Et si son éthique politique lui interdit ce qu'elle considère quelquefois comme un abandon, il fera tant, il frondera les autorités, jusqu'à ce qu'il soit « remis à la disposition de la métropole » suivant le pudique jargon administratif. Cessant d'être un colonisateur, il mettra fin à sa contradiction et à son malaise.

3

LE COLONISATEUR QUI S'ACCEPTE

... ou le colonialiste

Le colonisateur qui refuse le fait colonial ne trouve pas dans sa révolte la fin de son malaise. S'il ne se supprime pas lui-même comme colonisateur, il s'installe dans l'ambiguïté. S'il repousse cette mesure extrême, il concourt à confirmer, à instituer le rapport colonial : la relation concrète de son existence à celle du colonisé. On peut comprendre qu'il soit plus confortable d'accepter la colonisation, de parcourir jusqu'au bout le chemin qui mène *du colonial au colonialiste.*

Le colonialiste n'est, en somme, que le colonisateur qui s'accepte comme colonisateur. Qui, par suite, explicitant sa situation, cherche à légitimer la colonisation. Attitude plus logique, affectivement plus cohérente que la danse tourmentée du colonisateur qui se refuse, et continue à vivre en colonie. L'un essaye en vain d'accorder sa vie à son idéologie; l'autre son idéologie à sa vie, d'unifier et de justifier sa conduite. A tout prendre, *le colonialiste est la vocation naturelle du colonisateur.*

Il est courant d'opposer *l'immigrant* au *colonialiste de naissance.* L'immigrant adopterait plus mollement la doctrine colonialiste. Plus fatale, certes, est la transformation du colonisateur-natif en colonialiste. L'entraînement familial, les intérêts constitués, les situations acquises, dont il vit et dont le colonialisme est l'idéologie, restreignent sa liberté. Je ne pense pas, cependant, que la distinction soit fondamentale. La condition objective de privilégié-usurpateur est identique pour les deux, pour celui qui en hérite en naissant, et pour celui qui en jouit dès le débarquement. Plus ou moins rapide, plus ou moins aiguë, survient nécessairement la prise de conscience de ce qu'ils deviendront, s'ils acceptent cette condition.

Ce n'est pas un bon signe, déjà, que d'avoir décidé de faire sa vie en colonie; dans la majorité des cas, tout au moins; comme ce n'est pas un signe positif que d'épouser une dot. Sans parler de l'immigrant qui est prêt, au départ, à tout accepter; expressément venu pour goûter au bénéfice colonial. Celui-là sera *colonialiste par vocation*.

Le modèle en est courant et son portrait vient aisément au bout de la plume. Généralement, l'homme est jeune, prudent et policé, son échine est souple, ses dents longues. A tout hasard il justifie tout, les gens en place et le système. Faisant mine obstinément de n'avoir rien vu de la misère et l'injustice qui lui crèvent les yeux; attentif seulement à se faire une place, à obtenir sa part. Le plus souvent, d'ailleurs, il a été appelé et envoyé en colonie : un protecteur l'envoie, un autre le reçoit, et sa place l'attend déjà. S'il arrive qu'il ne soit pas précisément appelé, il est vite élu. Le temps que joue la solidarité colonisatrice : peut-on laisser en peine un compatriote ?... Combien en ai-je vus qui, arrivés de la veille, timides et modestes, subitement pourvus d'un titre étonnant, voient leur obscurité illuminée d'un prestige qui les surprend eux-mêmes. Puis, soutenus par le corset de leur rôle social, ils redressent la tête, et bientôt, ils prennent une confiance si démesurée en eux-mêmes qu'ils en deviennent stupides. Comment ceux-là ne se féliciteraient-ils pas d'avoir gagné la colonie ? Ne seraient-ils pas convaincus de l'excellence du système, qui les fait ce qu'ils sont ? Désormais ils le défendront agressivement ; ils finiront par le croire justifié. Bref, ils se sont transformés en colonialistes.

Si l'intention n'était pas aussi nette, l'aboutissement n'est pas différent chez *le colonialiste par persuasion*. Fonctionnaire nommé là par hasard, ou cousin à qui le cousin offre asile, il peut être même de gauche en arrivant et se muer irrésistiblement, par le même mécanisme fatal, en colonialiste hargneux ou sournois. Comme s'il lui avait suffi de traverser la mer, comme s'il avait pourri à la chaleur !

Inversement, parmi les colonisateurs-natifs, si la majorité s'accroche à sa chance historique et la défend à tout prix, il en existe qui parcourent l'itinéraire opposé, refusent la colonisation, ou finissent même par quitter la colonie. Le plus souvent, ce sont de tout jeunes gens, les plus généreux, les plus ouverts, qui, au sortir de l'adolescence, décident de ne pas faire leur vie d'homme en colonie.

Dans les deux cas, les meilleurs s'en vont. Soit par éthique : ne supportant pas de bénéficier de l'injustice quotidienne. Soit simplement par orgueil : parce qu'ils se décident d'une meilleure étoffe que le colonisateur moyen. Ils se fixent d'autres ambitions et d'autres horizons que ceux de la colonie qui, contrairement à ce que l'on croit, sont très limités, trop prévus, vite épuisés par les individus de quelque tempérament. Dans les deux cas, la colonie ne peut retenir les meilleurs : de ceux qui sont de passage et s'en retournent, contrat écoulé, indignés ou ironiques et désabusés; des natifs, qui ne supportent pas le jeu truqué, où il est trop facile de réussir, où l'on ne peut donner sa pleine mesure.

« Les colonisés qui réussissent sont habituellement supérieurs aux Européens de même catégorie, m'avouait avec amertume un président de jury. On peut être assuré avec eux qu'ils l'ont mérité. »

La médiocrité

Ce constant écrémage du groupement colonisateur explique un des traits les plus fréquents chez le colonialiste : sa médiocrité.

L'impression est augmentée par une déception peut-être naïve : le désaccord est trop flagrant entre le prestige, les prétentions et les responsabilités du colonialiste et ses capacités réelles, les résultats de son action. On ne peut s'empêcher, en approchant la société colonialiste, de s'attendre à rencontrer une élite, au moins une sélection, les meilleurs techniciens, par exemple, les plus efficaces ou les plus sûrs. Ces gens occupent, presque tous et partout, de droit ou de fait, les premières places. Et ils le savent et ils en revendiquent les égards et les honneurs. La société colonisatrice se veut une société dirigeante et s'applique à en avoir l'apparence. Les réceptions des délégués métropolitains rappellent davantage celles d'un chef de gouvernement que celles d'un préfet. Le moindre déplacement motorisé entraîne une suite de motocyclistes impérieux, pétaradants et sifflants. Rien n'est économisé pour impressionner le colonisé, l'étranger et peut-être le colonisateur lui-même.

Or, à y regarder de plus près, on ne découvre en

général, par-delà le faste ou le simple orgueil du petit colonisateur, que des hommes de petite taille. Des politiciens, chargés de façonner l'histoire, presque sans connaissances historiques, toujours surpris par l'événement, refusant ou incapables de prévoir. Des spécialistes, responsables des destinées techniques d'un pays, et qui se révèlent des techniciens hors de course, parce que toute compétition leur est épargnée. Quant aux administrateurs, un chapitre serait à écrire sur l'incurie et l'indigence de la gestion coloniale. Il faut dire, en vérité, que la meilleure gestion de la colonie ne fait guère partie de l'intentionnalité de la colonisation.

Comme il n'y a pas plus de race de colonisateurs qu'il n'y en a de colonisés, il faut bien trouver une autre explication de l'étonnante carence des maîtres de la colonie. Nous avons noté l'hémorragie des meilleurs; hémorragie double, de natifs et de gens de passage. Ce phénomène est suivi d'un complémentaire désastreux : les médiocres, eux, restent, et pour leur vie entière. C'est qu'ils n'en espéraient pas tant. Une fois installés, ils se garderont bien de lâcher leur place; sauf si on leur en propose une meilleure, ce qui ne peut leur arriver qu'en colonie. C'est pourquoi, contrairement à ce que l'on dit, et sauf dans quelques postes mouvants par définition, le personnel colonial est relativement stable. La promotion des médiocres n'est pas une erreur provisoire, mais une catastrophe définitive, dont la colonie ne se relève jamais. Les *Oiseaux de passage,* même animés de beaucoup d'énergie, n'arrivent jamais à bouleverser la physionomie, ou simplement la routine administrative des préfectures coloniales.

Cette sélection graduelle des médiocres, qui s'opère nécessairement en colonie, est encore aggravée par un terrain de recrutement exigu. Seul le colonisateur est appelé de naissance, de père en fils, d'oncle à neveu, de cousin à cousin, par une juridiction exclusive et raciste, à la direction des affaires de la cité. La classe dirigeante, uniquement issue du groupement colonisateur, de loin le moins nombreux, ne bénéficie ainsi que d'une aération dérisoire. Il se produit une espèce d'étiolement, si l'on peut dire, par consanguinité administrative.

C'est le médiocre, enfin, qui impose le ton général de la colonie. C'est lui qui est le véritable partenaire du colonisé, car c'est lui qui a le plus besoin de compensation et de la vie coloniale. C'est entre lui et le colonisé que se créent les relations coloniales les plus typiques. Il tiendra d'autant plus fermement à ces relations, au fait colonial, à son statu quo, que toute son existence coloniale – il le pressent – en dépend. Il a misé à fond, et définitivement, sur la colonie.

De sorte que, si tout colonialiste n'est pas un médiocre, tout colonisateur doit accepter en quelque mesure la médiocrité de la vie coloniale, doit composer avec la médiocrité de la majorité des hommes de la colonisation.

Le complexe de Néron

... Comme tout colonisateur doit composer avec sa situation objective, et les rapports humains qui en découlent. Pour avoir choisi de confirmer le fait colonial, le colonialiste n'en a pas pour cela, en effet, supprimé les difficultés objectives. La situation coloniale impose à tout colonisateur des *données économiques,* politiques et affectives, contre lesquelles il peut s'insurger, sans réussir jamais à les quitter, car elles forment l'essence même du fait colonial. Et bientôt, le colonialiste découvre sa propre ambiguïté.

S'acceptant comme colonisateur, le colonialiste accepte en même temps, même s'il a décidé de passer outre, ce que ce rôle implique de blâme, aux yeux des autres et aux siens propres. Cette décision ne lui rapporte nullement une bienheureuse et définitive tranquillité d'âme. Au contraire, l'effort qu'il fera pour surmonter cette ambiguïté nous donnera une des clefs de sa compréhension. Et les relations humaines en colonie auraient peut-être été meilleures, moins accablantes pour le colonisé, si le colonialiste avait été convaincu de sa légitimité. En somme, le problème posé au colonisateur qui se refuse est le même que pour celui qui s'accepte. Seules leurs solutions diffèrent : *celle du colonisateur qui s'accepte le transforme immanquablement en colonialiste.*

De cette assomption de soi-même et de sa situation, vont découler en effet plusieurs traits que l'on peut grouper en un ensemble cohérent. Cette constellation, nous proposons de l'appeler : *le rôle de l'usurpateur* (ou encore *le complexe de Néron*).

S'accepter comme colonisateur, ce serait essentiellement, avons-nous dit, s'accepter comme privilégié non légitime, c'est-à-dire comme usurpateur. L'usurpateur, certes, revendique sa place et, au besoin, la défendra par tous les moyens. Mais, il l'admet, il revendique une place usurpée. C'est dire qu'au moment même où il triomphe, il admet que triomphe de lui une image qu'il condamne. Sa victoire de *fait* ne le comblera donc jamais : il lui reste à l'inscrire dans les lois et dans la morale. Il lui faudrait pour cela en convaincre les autres, sinon lui-même. Il a besoin, en somme, pour en jouir complètement, de se laver de sa victoire, et des conditions dans lesquelles elle fut obtenue. D'où son acharnement, étonnant chez un vainqueur, sur d'apparentes futilités : il s'efforce de falsifier l'histoire, il fait récrire les textes, il éteindrait des mémoires. N'importe quoi, pour arriver à transformer son usurpation en légitimité.

Comment ? Comment l'usurpation peut-elle essayer de passer pour légitimité ? Deux démarches semblent possibles : démontrer les mérites éminents de l'usurpateur, si éminents qu'ils appellent une telle récompense ; ou insister sur les démérites de l'usurpé, si profonds qu'ils ne peuvent que susciter une telle disgrâce. Et ces deux efforts sont en fait inséparables. Son inquiétude, sa soif de justification exigent de l'usurpateur, à la fois, qu'il se porte lui-même aux nues, et qu'il enfonce l'usurpé plus bas que terre.

En outre, cette complémentarité n'épuise pas la relation complexe de ces deux mouvements. Il faut ajouter que plus l'usurpé est écrasé, plus l'usurpateur triomphe dans l'usurpation ; et, par suite, se confirme dans sa culpabilité et sa propre condamnation : Donc plus le jeu du mécanisme s'accentue, sans cesse entraîné, aggravé par son propre rythme. A la limite, l'usurpateur tendrait à faire disparaître l'usurpé, dont la seule existence le pose en usurpateur, dont l'oppression de plus en plus lourde le rend lui-même de plus en plus oppresseur. Néron, figure exemplaire de l'usurpateur, est ainsi amené à persécuter rageusement Britannicus, à le poursuivre. Mais plus il lui fera de mal, plus il coïncidera avec ce rôle atroce qu'il s'est choisi. Et plus il s'enfoncera dans l'injustice, plus il haïra Britannicus et cherchera à atteindre davantage sa victime, qui le transforme en bourreau. Non content de lui avoir volé son trône, il essayera de lui ravir le seul bien qui lui reste, l'amour de Junie. Ce n'est ni jalousie pure ni perversité, mais cette fatalité intérieure de l'usurpation, qui l'entraîne irrésistiblement vers cette suprême tentation : la suppression morale et physique de l'usurpé.

Dans le cas du colonialiste, cependant, cette limite trouve en elle-même sa propre régulation. S'il peut obscurément souhaiter – il lui arrive de le proclamer – rayer le colonisé de la carte des vivants, il lui serait impossible de le faire sans s'atteindre lui-même. A quelque chose malheur est bon : l'existence du colonialiste est trop liée à celle du colonisé, jamais il ne pourra dépasser cette dialectique. De toutes ses forces, il lui faut nier le colonisé et, en même temps, l'existence de sa victime lui est indispensable pour continuer à être. Dès qu'il a choisi de maintenir le système colonial, il doit apporter à le défendre plus de vigueur qu'il n'en aurait fallu pour le refuser. Dès qu'il a pris conscience de l'injuste rapport qui l'unit au colonisé, il lui faut sans répit s'appliquer à s'absoudre. Il n'oubliera jamais de faire éclater publiquement ses propres vertus, il plaidera avec une rageuse obstination pour paraître héroïque et grand, méritant largement sa fortune. En même temps, tenant ses privilèges tout autant de sa gloire que de l'avilissement du colonisé, il s'acharnera à l'avilir. Il utilisera pour le dépeindre les couleurs les plus sombres ; il agira, s'il le faut, pour le dévaloriser, pour l'annihiler. Mais il ne sortira jamais de ce cercle : Il faut expliquer cette distance que la colonisation met entre lui et le colonisé ; or, pour se justifier, il est amené à augmenter encore cette distance, à opposer irrémédiablement les deux figures, la sienne tellement glorieuse, celle du colonisé tellement méprisable.

Les deux portraits

Cette autojustification aboutit ainsi à une véritable reconstruction idéale des deux protagonistes du drame colonial. Rien n'est plus aisé que de rassembler les traits supposés de ces deux portraits, proposés par le colonialiste. Y suffiraient un bref séjour en colonie, quelques conversations, ou simplement le rapide parcours de la presse ou des romans dits coloniaux.

Ces deux images elles-mêmes ne sont pas, nous le verrons, sans conséquences. Celle du colonisé vue par le colonialiste, imposée par ses exigences, répandue en colonie, et souvent dans le monde, grâce à ses journaux, sa littérature, finit par retentir, d'une certaine manière, sur la conduite et donc sur la physionomie réelle du colonisé [1]. De même, la manière dont veut se voir le colonialiste joue un rôle considérable dans l'émergence de sa physionomie définitive.

C'est qu'il ne s'agit pas d'une simple adhésion intellectuelle, mais du choix d'un style de vie tout entier. Cet homme, peut-être ami sensible et père affectueux, qui dans son pays d'origine, par sa situation sociale, son milieu familial, ses amitiés naturelles, aurait pu être un démocrate, va se transformer sûrement en conservateur, en réactionnaire ou même en fasciste colonial. Il ne peut qu'approuver la discrimination et la codification de l'injustice, il se réjouira des tortures policières et, s'il le faut, se convaincra de la nécessité du massacre. Tout va l'y conduire, ses nouveaux intérêts, ses relations professionnelles, ses liens familiaux et amicaux noués en colonie. Le

1. Voir plus loin : Le Portrait du colonisé.

mécanisme est quasi fatal : *la situation coloniale fabrique des colonialistes, comme elle fabrique des colonisés.*

Le mépris de soi

Car ce n'est pas impunément qu'on a besoin de la police et de l'armée pour gagner sa vie, de la force et de l'iniquité pour continuer à exister. Ce n'est pas sans dommages qu'on accepte de vivre en permanence avec son propre blâme. Le panégyrique de soi-même et des siens, l'affirmation répétée, même convaincue, de l'excellence de ses mœurs, de ses institutions, de sa supériorité culturelle et technique, n'effacent pas la condamnation fondamentale que tout colonialiste porte au fond de lui-même. Comment pourrait-il ne pas en tenir compte ? Essaierait-il d'assourdir sa propre voix intérieure, que tout, tous les jours, la lui rappellerait ; la simple vue du colonisé, les insinuations polies ou les accusations brutales des étrangers, les aveux des siens en colonie, et jusque dans la métropole, où il se voit, à chaque voyage, entouré d'une suspicion un peu envieuse, un peu condescendante. Il est ménagé, certes, comme tous ceux qui disposent ou participent de quelque puissance économique ou politique. Mais on suggère qu'il est un habile, qui a su tirer parti d'une situation particulière, dont les ressources seraient, en somme, d'une moralité discutable. Pour un peu, on lui ferait un clin d'œil entendu.

Contre cette accusation, implicite ou avouée, mais toujours là, toujours prête en lui et chez les autres, il se défend comme il peut. Tantôt il insiste sur les difficultés de son existence exotique, les traîtrises d'un climat sournois, la fréquence des maladies, la lutte contre un sol ingrat, la méfiance des populations hostiles; tout cela ne mériterait-il aucune compensation? Tantôt furieux, agressif, il réagit comme Gribouille; opposant mépris à mépris, accusant le métropolitain de couardise et de dégénérescence; au contraire il avoue, il clame les richesses du dépaysement et aussi, pourquoi pas? les privilèges de la vie qu'il s'est choisie, la vie facile, les domestiques nombreux, la jouissance, impossible en Europe, d'une autorité anachronique et même le bas prix de l'essence. Rien, enfin, ne peut le sauver en lui donnant cette haute idée compensatrice de lui-même, qu'il cherche si avidement. Ni l'étranger, tout au plus indifférent mais non dupe ni complice; ni sa patrie d'origine, où il est toujours suspect et souvent attaqué, ni sa propre action quotidienne qui voudrait ignorer la révolte muette du colonisé. En fait, mis en accusation par les autres, il ne croit guère à son propre dossier; au fond de lui-même, *le colonialiste plaide coupable.*

Le patriote

Il est clair, dans ces conditions, qu'il n'espère pas sérieusement trouver en lui-même la source de cette indispensable grandeur, gage de sa réhabilitation. L'outrance de sa vanité, du portrait trop magnifique du colonialiste par lui-même, le trahit plus qu'elle ne le sert. Et, en vérité, il s'est toujours adressé simultanément hors de lui-même : *cet ultime recours, il le cherche dans la métropole.*

Cette caution doit, en effet, réunir deux conditions préalables. La première est qu'elle appartienne à un univers dont lui-même participe, s'il veut que les mérites du médiateur rejaillissent sur lui. La seconde est que cet univers soit totalement étranger au colonisé, afin qu'il ne puisse jamais s'en prévaloir. Or ces deux conditions sont miraculeusement réunies par la métropole. Il fera donc appel aux qualités de sa patrie d'origine, les célébrant, les amplifiant, insistant sur ses traditions particulières, son originalité culturelle. Ainsi, du même coup, il aura posé et sa propre appartenance à cet univers fortuné, sa liaison native, naturelle à la métropole, et l'impossibilité du colonisé à participer à ces splendeurs, son hétérogénéité radicale, à la fois malheureuse et méprisable.

Cette élection, cette grâce, le colonialiste veut, en outre, la mériter tous les jours. Il se présente, il le rappelle fréquemment, comme l'un des membres les plus conscients de la communauté nationale; finalement l'un des meilleurs. Car, lui, est reconnaissant et fidèle. Il sait, lui, contrairement au métropolitain, dont le bonheur n'est jamais menacé, ce qu'il doit à son origine. Sa fidélité est, cependant, désintéressée; son éloignement même en est caution – elle n'est pas souillée par toutes les mesquineries de la vie quotidienne du métropolitain, qui doit tout arracher par la ruse et la combinaison électorale. Sa pure ferveur pour la patrie fait de lui, enfin, le patriote véritable, celui qui la représente le mieux, et dans ce qu'elle a de plus noble.

Et il est vrai qu'en un sens il peut prêter à le croire. Il aime les symboles les plus éclatants, les manifestations les plus démonstratives de la puissance de son pays. Il assiste à tous les défilés militaires, qu'il souhaite et obtient fréquents et nourris; il y apporte sa part en pavoisant avec discipline et ostentation. Il admire l'armée et la force, il respecte les uniformes et convoite les décorations. Nous croisons là ce qu'il est coutume d'appeler la politique de prestige; qui ne découle pas seulement d'un principe d'économie (« montrer la force pour n'avoir pas à s'en servir »), mais correspond à un besoin profond de la vie coloniale : il s'agit tout autant d'impressionner le colonisé que de se rassurer soi-même.

En retour, ayant confié à la métropole la délégation et le poids de sa propre grandeur défaillante, il attend d'elle qu'elle réponde à son espoir. Il exige qu'elle mérite sa confiance, qu'elle lui renvoie cette image d'elle-même qu'il souhaite : idéal inaccessible au colonisé et justificatif parfait de ses propres mérites empruntés. Souvent, à force de l'espérer, il finit par y croire un peu. Les nouveaux débarqués, la mémoire encore fraîche, parlent de la métropole avec infiniment plus de justesse que les vieux colonialistes. Dans leurs comparaisons, inévitables, entre les deux pays, les colonnes crédit et débit peuvent encore rivaliser. Le colonialiste semble avoir oublié la réalité vivante de son pays d'origine. Au cours des années, il a sculpté, par opposition à la colonie, un monument de la métropole tel, que la colonie lui apparaît nécessairement dérisoire et vulgaire. Il est remarquable que, même pour des colonisateurs nés en colonie, c'est-à-dire charnellement accordés, adaptés au soleil, à la chaleur, à la terre sèche, le paysage de référence reste brumeux, humide et vert. Comme si la métropole était une composante essentielle de sur-moi collectif des colonisateurs, ses caractéristiques objectives deviennent des qualités quasi éthiques. Il est entendu que la brume est *supérieure* en soi au plein soleil et le vert à l'ocre. La métropole ne réunit ainsi que des positivités, la justesse du climat et l'harmonie des sites, la discipline sociale et une exquise liberté, la beauté, la morale, et la logique.

Il serait naïf, cependant, de rétorquer au colonialiste

qu'il devrait rejoindre au plus vite cet univers merveilleux, réparer l'erreur de l'avoir quitté. Depuis quand s'installe-t-on quotidiennement dans la vertu et la beauté? le propre d'un sur-moi est précisément de n'être pas vécu, de régler de loin, sans être jamais atteint, la conduite prosaïque et cahotante des hommes de chair et d'os. La métropole n'est si grande que parce qu'elle est au-delà de l'horizon et qu'elle permet de valoriser l'existence et la conduite du colonialiste. S'il y rentrait, elle perdrait son sublime; et lui, cesserait d'être un homme supérieur : S'il est tout en colonie, le colonialiste sait qu'en métropole il ne serait rien; il y retournerait à l'homme quelconque. En fait, la notion de métropole est comparative. Ramenée à elle-même, elle s'évanouirait et ruinerait du même coup la surhumanité du colonialiste. C'est en colonie seulement, parce qu'il possède une métropole et que ses cohabitants n'en ont pas, que le colonialiste est craint et admiré. Comment quitterait-on le seul endroit au monde où, sans être un fondateur de ville ou un foudre de guerre, il est encore possible de débaptiser des villages et de léguer son nom à la géographie? Sans même craindre le simple ridicule ou la colère des habitants, puisque leur avis ne compte pas; où tous les jours, on fait l'épreuve euphorique de sa puissance et de son importance?

Le conservateur

Il faut donc, non seulement que la métropole constitue cet idéal lointain et jamais vécu, mais encore que cet idéal soit immuable et à l'abri du temps : le colonialiste exige que la métropole soit *conservatrice.*

Lui, bien entendu, l'est résolument. C'est même là-dessus qu'il est le plus sévère, qu'il transige le moins. A la rigueur tolère-t-il la critique des institutions ou des mœurs du métropolitain; il n'est pas responsable du pire, s'il se réclame du meilleur. Mais il est pris d'inquiétude, d'affolement, chaque fois qu'on s'avise de toucher au statut politique. C'est seulement alors que la pureté de son patriotisme est troublée, son attachement indéfectible à la mère-patrie ébranlé. Il peut aller jusqu'à la menace – ô stupeur! – de sécession! Ce qui semble contradictoire, aberrant avec son patriotisme tant affiché et, en un sens, réel.

Mais le nationalisme du colonialiste est, en vérité, d'une nature particulière. Il s'adresse essentiellement à cet aspect de la patrie qui tolère et protège son existence en tant que colonialiste. Une métropole qui deviendrait démocratique, par exemple, au point de promouvoir une égalité des droits jusque dans les colonies risquerait aussi d'abandonner les entreprises coloniales. Une telle transformation serait, pour le colonialiste, *une affaire de vie ou de mort,* une remise en question du sens de sa vie.

On comprend que son nationalisme vacille et qu'il refuse de reconnaître ce dangereux visage de sa patrie.

La tentation fasciste

Pour qu'il puisse subsister en tant que colonialiste, il est nécessaire que la métropole demeure éternellement une métropole. Et dans la mesure où cela dépend de lui, on comprend qu'il s'y emploie de toutes ses forces.

Mais on peut faire un pas de plus : *toute nation coloniale porte ainsi, en son sein, les germes de la tentation fasciste.*

Qu'est-ce que le fascisme, sinon un régime d'oppression au profit de quelques-uns? or toute la machine administrative et politique de la colonie n'a pas d'autres fins. Les relations humaines y sont issues d'une exploitation aussi poussée que possible, fondées sur l'inégalité et le mépris, garanties par l'autoritarisme policier. Il ne fait aucun doute, pour qui l'a vécu, que le colonialisme est une variété du fascisme. On ne doit pas trop s'étonner que des institutions dépendant, après tout, d'un pouvoir central libéral puissent être tellement différentes de celles de la métropole. Ce visage totalitaire, que prennent dans leurs colonies des régimes souvent démocratiques, n'est aberrant qu'en apparence : représentés auprès du colonisé par le colonialiste, ils ne peuvent en avoir d'autre.

Il n'est pas davantage étonnant que le fascisme colonial se limite difficilement à la colonie. Un cancer ne demande qu'à s'étendre. Le colonialiste ne peut que soutenir les gouvernements et les tendances oppressifs et réactionnaires, ou pour le moins conservateurs. Ceux qui maintiendront le statut actuel de la métropole, condition du sien propre, ou mieux ceux qui assureront plus fermement les bases de l'oppression. Et, puisqu'il vaut mieux prévenir que guérir, comment ne serait-il pas tenté de provoquer la naissance de tels gouvernements et de tels régimes? Si l'on ajoute que ses moyens financiers, donc politiques, sont démesurés, on conçoit qu'il représente, pour les institutions centrales, un danger permanent, une poche à venin risquant toujours d'empoisonner tout l'organisme métropolitain.

Ne bougerait-il même jamais, enfin, que sa simple existence, celle du sytème colonial, proposeront leur constant exemple aux hésitations de la métropole; une extrapolation séduisante d'un style politique, où les difficultés sont résolues par le servage complet des gouvernés. Il n'est pas exagéré de dire que, de même que la situation coloniale pourrit l'Européen des colonies, *le colonialiste est un germe de pourrissement de la métropole.*

Le ressentiment contre la métropole

Le danger et l'ambiguïté de son excessive ardeur patriotique se retrouve d'ailleurs, et se vérifie, dans l'ambiguïté plus générale de ses relations avec la métropole. Certes, il chante sa gloire et s'accroche à elle, jusqu'à la paralyser, la noyer s'il le faut. Mais, en même temps, il nourrit contre la métropole et les métropolitains un ressentiment profond.

Nous n'avons noté jusqu'ici que le privilège du colonisateur par rapport au colonisé. En fait, l'Européen des colonies se sait doublement privilégié : par rapport au colonisé et par rapport au métropolitain. Les avantages coloniaux signifient également qu'à importance égale, le fonctionnaire touche davantage, le commerçant paie moins d'impôts, l'industriel paie moins cher matière première et main-d'œuvre, que leurs homologues métropolitains. Le parallèle ne s'arrête pas là. De même qu'il est consubstantiel à l'existence du colonisé, le privilège colonial est fonction de la métropole et du métropolitain. Le colonialiste n'ignore pas qu'il oblige la métropole à entretenir une armée, que la colonie, si elle est tout avantage pour lui-même, coûte au métropolitain plus qu'elle ne lui rapporte.

Et de même que la nature des relations entre colonisateur et colonisé dérive de leurs rapports économiques et sociaux, les relations entre colonisateur et métropolitain sont tributaires de leurs situations réciproques. Le colonisateur n'est pas fier des difficultés quotidiennes de son compatriote, des impôts qui pèsent sur lui seul et de ses revenus médiocres. Il rentre de son voyage annuel troublé, mécontent de lui-même et furieux contre le métropolitain. Il a fallu, comme chaque fois, répondre à des insinuations ou même à de franches attaques, utiliser l'arsenal, si peu convaincant, des dangers du soleil africain et des maladies du tube digestif, appeler à son secours la mythologie des héros en casque colonial. Ils ne parlent pas, non plus, le même langage politique : *A classe égale, le colonialiste est naturellement plus à droite que le métropolitain.* Un camarade nouvellement arrivé me faisait part de son naïf étonnement : il ne comprenait pas pourquoi les joueurs de boules, S.F.I.O. ou radicaux en métropole, sont réactionnaires ou fascisants en colonie.

Il existe un antagonisme réel, fondé politiquement et économiquement, entre le colonialiste et le métropolitain. Et en cela, le colonialiste a tout de même raison de parler de son dépaysement en métropole : il n'a plus les mêmes intérêts que ses compatriotes. Dans une certaine mesure, il n'en fait plus partie.

Cette dialectique exaltation-ressentiment, qui unit le colonialiste à sa patrie, nuance singulièrement la qualité de son amour pour elle. Sans doute, il a le souci d'en donner l'image la plus glorieuse, mais ce mouvement est vicié par tout ce qu'il en attend. Aussi bien, s'il ne relâche jamais son effort cocardier, s'il multiplie les cajoleries, il cache mal sa colère et son dépit. Il doit veiller sans cesse, intervenir si nécessaire, pour que la métropole continue à entretenir les troupes qui le protègent, garde les habitudes politiques qui le tolèrent, conserve enfin ce visage qui lui convient, et qu'il puisse opposer au colonisé. Et les budgets coloniaux seront le prix payé par les métropoles, persuadées de la discutable grandeur d'être des métropoles.

Le refus du colonisé

Telle est l'énormité de l'oppression coloniale, cependant, que cette surenchère de la métropole ne suffit jamais à la justification du fait colonial. En vérité, la distance entre le maître et le serviteur n'est jamais assez grande. Presque toujours, le colonialiste se livre également à la dévalorisation systématique du colonisé.

Ah! là-dessus, il n'est pas nécessaire de le pousser : il est plein de son sujet, qui déchire sa conscience et sa vie. Il cherche à l'écarter de sa pensée, à imaginer la colonie sans le colonisé. Une boutade, plus sérieuse qu'elle n'en a l'air, affirme que « Tout serait parfait... s'il n'y avait pas les indigènes. » Mais le colonialiste se rend compte que, sans le colonisé, la colonie n'aurait plus aucun sens. Cette insupportable contradiction le remplit d'une fureur, d'une haine toujours prête à se déchaîner sur le colonisé, occasion innocente mais fatale de son drame. Et pas seulement s'il est un policier ou un spécialiste de l'autorité, dont les habitudes professionnelles trouvent en colonie des possibilités inespérées d'épanouissement. J'ai vu avec stupéfaction de paisibles fonctionnaires, des enseignants, courtois et bien disants par ailleurs, se muer subitement, sous des prétextes futiles, en monstres vociférants. Les accusations les plus absurdes sont portées contre le colonisé. Un vieux médecin m'a confié, avec un mélange de hargne et de gravité, que le « colonisé ne sait pas respirer »; un professeur m'a expliqué doctement que : « Ici, on ne sait pas marcher, on fait de tout petits pas, qui ne font pas avancer », d'où cette impression de piétinement, caractéristique, paraît-il, des rues en colonie. La dévaluation du colonisé s'étend ainsi à tout ce qui le touche. A son pays, qui est laid, trop chaud, étonnamment froid, malodorant, au climat vicieux, à la géographie si désespérée qu'elle le condamne au mépris et à la pauvreté, à la dépendance pour l'éternité.

Cet abaissement du colonisé, qui doit expliquer son dénuement, sert en même temps de repoussoir à la positivité du colonialiste. Ces accusations, ces jugements irrémédiablement négatifs sont toujours portés *par référence à la métropole*, c'est-à-dire, nous avons vu par quel détour, par référence au colonialiste lui-même. Comparaisons morales ou sociologiques, esthétiques ou géographiques, explicites, insultantes ou allusives et discrètes, mais toujours en faveur de la métropole et du colonialiste. *Ici, les gens d'ici, les mœurs de ce pays*, sont toujours inférieurs, et de loin, en vertu d'un ordre fatal et préétabli.

Ce refus de la colonie et du colonisé aura de graves conséquences sur la vie et le comportement du colonisé. Mais il provoque aussi un effet désastreux sur la conduite du colonialiste. Ayant ainsi défini la colonie, n'accordant aucun mérite à la cité coloniale, ne reconnaissant ni ses traditions, ni ses lois, ni ses mœurs, il ne peut admettre en faire lui-même partie. Il refuse de se considérer comme citoyen avec droits et devoirs, comme il n'envisage pas que son fils puisse le devenir. Par ailleurs, s'il se prétend lié indissolublement à sa patrie d'origine, il n'y vit pas, il ne participe pas à la conscience collective de ses compatriotes, et n'en est pas quotidiennement agi. Le résultat de ce double mais négatif repérage sociologique est que le colonialiste est *civiquement aérien*. Il navigue entre une société lointaine, qu'il veut sienne, mais qui devient à quelque degré mythique; et une société présente, qu'il refuse et maintient ainsi dans l'abstraction.

Car ce n'est pas, bien sûr, l'aridité du pays ou l'absence de grâce des cités coloniales, qui explique le refus du colonialiste. C'est, au contraire, parce qu'il ne l'a pas adopté, ou ne pouvait l'adopter, que le pays reste aride et la construction d'un désespérant utilitarisme. Pourquoi ne fait-il rien, par exemple, pour l'urbanisme? Lorsqu'il se plaint de la présence d'un lac pestilentiel aux portes de la ville, des égouts qui débordent, ou de services qui fonctionnent mal, il feint d'oublier qu'il détient le pouvoir administratif, qu'il devrait s'en prendre à lui-même. Pourquoi ne conçoit-il pas, ou ne peut-il concevoir, son effort d'une manière désintéressée? Toute municipalité, normalement issue de ses administrés, se préoccupe non seulement de leur bien-être, mais aussi de leur avenir, de la postérité; son effort s'inscrit dans une durée, celle de la cité. Le colonialiste ne fait pas coïncider son avenir avec celui de la colonie, il n'est ici que de passage, il n'investit que ce qui rapporte à échéance. La véritable raison, la raison première de la plupart de ses carences est celle-ci : le colonialiste n'a jamais décidé de transformer la colonie à l'image de la métropole, et le colonisé à son image. *Il ne peut admettre une telle adéquation, qui détruirait le principe de ses privilèges.*

Le racisme

Ce n'est là, d'ailleurs, qu'un vague rêve d'humaniste métropolitain. Le colonialiste a toujours affirmé, et avec netteté, que cette adéquation était impensable. Mais l'explication, qu'il se croit obligé d'en donner, elle-même fort significative, sera toute différente. Cette impossibilité ne relève pas de lui mais du partenaire : elle tient à la *nature* du colonisé. En d'autres termes, et voici le trait qui achève ce portrait, le colonialiste a recours au racisme. Il est remarquable que le racisme fasse partie de tous les colonialismes, sous toutes les latitudes. Ce n'est pas une coïncidence : *le racisme résume et symbolise la relation fondamentale qui unit colonialiste et colonisé.*

Il ne s'agit guère d'un racisme doctrinal. Ce serait d'ailleurs difficile; le colonialiste n'aime pas la théorie et les théoriciens. Celui qui se sait en mauvaise posture idéologique ou éthique, se targue en général d'être un homme d'action, qui puise ses leçons dans l'expérience. Le colonialiste a trop de mal à construire son système de compensation pour ne pas se méfier de la discussion. Son racisme est vécu, quotidien; mais il n'y perd pas pour autant. A côté du racisme colonial, celui des doctrinaires européens apparaît comme transparent, gelé en idées, à première vue presque sans passion. Ensemble de conduites, de réflexes appris, excercés depuis la toute première enfance, fixé, valorisé par l'éducation, le racisme colonial est si spontanément incorporé aux gestes, aux paroles, même les plus banales, qu'il semble constituer une des structures les plus solides de la personnalité colonialiste. La fréquence de son intervention, son intensité dans les relations coloniales serait stupéfiante, cependant, si l'on ne savait à quel point il aide à vivre le colonialiste, et permet son insertion sociale. Un effort constant du colonialiste consiste à expliquer, justifier et maintenir, par le verbe comme par la conduite, la place et le sort du colonisé, son partenaire dans le drame colonial. C'est-à-dire, en définitive, à expliquer, justifier et maintenir le système colonial, et donc sa propre place. Or l'analyse de l'attitude raciste y révèle trois éléments importants :

1. Découvrir et mettre en évidence les *différences* entre colonisateur et colonisé.

2. *Valoriser* ces différences, au profit du colonisateur et au détriment du colonisé.

3. Porter ces différences à *l'absolu*, en affirmant qu'elles sont définitives, et en agissant pour qu'elles le deviennent.

La première démarche n'est pas la plus révélatrice de l'attitude mentale du colonialiste. Être à l'affût du trait différentiel entre deux populations n'est pas une caractéristique raciste en soi. Mais elle occupe sa place et prend un sens particulier dans un contexte raciste. Loin de rechercher ce qui pourrait atténuer son dépaysement, le rapprocher du colonisé, et contribuer à la fondation d'une cité commune, le colonialiste appuie au contraire sur tout ce qui l'en sépare. Et dans ces différences, toujours infamantes pour le colonisé, glorieuses pour lui, il trouve justification de son refus. Mais voici peut-être le plus important : une fois isolé le trait de mœurs, fait historique ou géographique, qui caractérise le colonisé et l'oppose au colonisateur, il faut empêcher que le fossé ne puisse être comblé. Le colonialiste sortira le fait de l'histoire, du temps, et donc d'une évolution possible. Le fait sociologique est baptisé biologique ou mieux métaphysique. Il est déclaré appartenir à *l'essence* du colonisé. Du coup, la relation coloniale entre le colonisé et le colonisateur, fondée sur la manière d'être, essentielle, des deux protagonistes, devient une *catégorie définitive*. Elle est ce qu'elle est parce qu'ils sont ce qu'ils sont, et ni l'un ni l'autre ne changeront jamais.

Nous rejoignons encore l'intentionnalité de toute politique coloniale. En voici deux illustrations. Contrairement à ce que l'on croit, le colonialisme n'a jamais sérieusement favorisé la conversion religieuse du colonisé. Les relations entre l'Église (catholique ou protestante) et le colonialisme sont plus complexes qu'on ne l'affirme parmi les gens de gauche. L'Église a beaucoup aidé le colonialiste, certes; cautionnant ses entreprises, lui donnant bonne conscience, contribuant à faire accepter la colonisation, y compris par le colonisé. Mais ce ne fut pour elle qu'une alliance accidentelle et profitable. Aujourd'hui que le colonialisme se révèle mortel, et devient compromettant, elle décroche partout; elle ne le défend plus guère, quand elle ne commence pas déjà à l'attaquer. En somme elle s'est servie de lui comme il s'est servi d'elle, mais elle a toujours gardé son but propre. Inversement, si le colonialiste a récompensé l'Église de son aide, lui octroyant d'importants privilèges, terrains, subventions, une place inadéquate à son rôle en colonie, il n'a jamais souhaité qu'elle réussisse : c'est-à-dire qu'elle obtienne la conversion de tous les colonisés. S'il l'avait réellement voulu, il aurait permis à l'Église de réaliser son rêve. Surtout au début de la colonisation, il disposait d'une totale liberté d'action, d'une puissance d'oppression illimitée, et d'une large complicité internationale.

Mais le colonialiste ne pouvait favoriser une entreprise qui aurait contribué à l'évanouissement de la relation coloniale. La conversion du colonisé à la religion du colonisateur aurait été une étape sur la voie de l'assimilation. C'est une des raisons pour lesquelles les missions coloniales ont échoué.

Autre exemple : il n'y a pas plus de salut social que de salut mystique pour le colonisé. De même qu'il se peut se délivrer de sa condition par la conversion religieuse, il ne lui serait permis de quitter son groupe social pour rejoindre le groupe colonisateur.

Toute oppression, en vérité, s'adresse globalement à un groupement humain, et, *a priori*, tous les individus en tant que membres de ce groupe en sont atteints anonymement. On entend souvent affirmer que les ouvriers, c'est-à-dire *tous* les ouvriers, puisque ouvriers, sont affligés de tels défauts et de telles tares. L'accusation raciste, portée contre les colonisés, ne peut être que collective, et tout colonisé sans exception doit en répondre. Il est admis, cependant, que l'oppression ouvrière comporte une issue : théoriquement au moins, un ouvrier peut quitter sa classe et changer de statut. Tandis que, dans le cadre de la colonisation, rien ne pourra sauver le colonisé. Jamais il ne pourra passer dans le clan des privilégiés; gagnerait-il plus d'argent qu'eux, remporterait-il tous les titres, augmenterait-il infiniment sa puissance.

Nous avons comparé l'oppression et la lutte coloniale à l'oppression et la lutte des classes. Le rapport colonisateur-colonisé, de peuple à peuple, au sein des nations, peut rappeler en effet le rapport bourgeoisie-prolétariat, au sein d'une nation. Mais il faut mentionner en outre l'étanchéité presque absolue des groupements coloniaux. A cela veillent tous les efforts du colonialiste; et le racisme est, à cet égard, l'arme la plus sûre : le passage en devient, en effet, impossible, et toute révolte serait absurde.

Le racisme apparaît, ainsi, non comme un détail plus ou moins accidentel mais comme un élément consubstantiel au colonialisme. Il est la meilleure expression du fait colonial, et un des traits les plus significatifs du colonialiste. Non seulement il établit la discrimination fondamentale entre colonisateur et colonisé, condition *sine qua non* de la vie coloniale, mais il en fonde *l'immuabilité*. Seul le racisme autorise à poser pour l'éternité, en la substantivant, une relation historique ayant eu un commencement daté. D'où l'extraordinaire épanouissement du racisme en colonie; la coloration raciste de la moindre démarche, intellectuelle ou active, du colonialiste et même de tout colonisateur. Et non seulement des hommes de la rue : un psychiatre de Rabat a osé m'affirmer, après vingt ans d'exercice, que les névroses nord-africaines s'expliquaient par *l'âme nord-africaine*.

Cette âme ou cette ethnie ou ce psychisme rend compte des institutions d'un autre siècle, de l'absence de développement technique, du nécessaire asservissement politique, de la totalité du drame, enfin. Il démontre lumineusement que la situation coloniale était irrémédiable et sera définitive.

L'auto-absolution

Et voici la touche finale. La servitude du colonisé ayant paru scandaleuse au colonisateur, il lui fallait l'expliquer, sous peine d'en conclure au scandale et à l'insécurité de sa propre existence. Grâce à une double reconstruction du colonisé et de lui-même, il va du même coup se justifier et se rassurer.

Porteur des valeurs de la civilisation et de l'histoire, il accomplit une mission : il a l'immense mérite d'éclairer les ténèbres infamantes du colonisé. Que ce rôle lui rapporte avantages et respect n'est que justice : la colonisation est *légitime*, dans tous ses sens et conséquences.

Par ailleurs, la servitude étant inscrite dans la nature du colonisé, et la domination dans la sienne, il n'y aura pas de dénouement. Aux délices de la vertu récompensée, il ajoute la nécessité des lois naturelles. La colonisation est *éternelle*, il peut envisager son avenir sans inquiétude aucune.

Après quoi, tout deviendrait possible et prendrait un sens nouveau. Le colonialiste pourrait se permettre de vivre presque détendu, bienveillant et même bienfaiteur. Le colonisé ne pourrait que lui être *reconnaissant* de rabattre de ce qui lui revient. C'est ici que s'inscrit l'étonnante attitude mentale dite *paternaliste*. Le paternaliste est celui qui se veux généreux par-delà, et une fois admis, le racisme et l'inégalité. C'est, si l'on veut, un racisme charitable – qui n'est pas le moins habile ni le moins rentable. Car le paternaliste le plus ouvert se cabre dès que le colonisé *réclame*, ses droits syndicaux par exemple. S'il relève sa paye, si sa femme soigne le colonisé, il s'agit de dons et jamais de devoirs. S'il se reconnaissait des devoirs, il lui faudrait admettre que le colonisé a des droits. Or il est entendu, par tout ce qui précède, qu'il n'a pas de devoirs, que le colonisé n'a pas de droits.

Ayant instauré ce nouvel ordre moral où par définition il est maître et innocent, le colonialiste se serait enfin donné l'absolution. Faut-il encore que cet ordre ne soit pas remis en question par les autres, et surtout par le colonisé.

Portrait du colonisé

1

PORTRAIT MYTHIQUE DU COLONISÉ

Naissance du mythe

Tout comme la bourgeoisie propose une image du prolétaire, l'existence du colonisateur appelle et impose une image du colonisé. Alibis sans lesquels la conduite du colonisateur, et celle du bourgeois, leurs existences mêmes, sembleraient scandaleuses. Mais nous éventons la mystification, précisément parce qu'elle les arrange trop bien.

Soit, dans ce portrait-accusation, le trait de paresse. Il semble recueillir l'unanimité des colonisateurs, du Libéria au Laos, en passant par le Maghreb. Il est aisé de voir à quel point cette caractérisation est *commode*. Elle occupe bonne place dans la dialectique : ennoblissement du colonisateur – abaissement du colonisé. En outre, elle est *économiquement fructueuse*.

Rien ne pourrait mieux légitimer le privilège du colonisateur que son travail; rien ne pourrait mieux justifier le dénuement du colonisé que son oisiveté. Le portrait mythique du colonisé comprendra donc une incroyable paresse. Celui du colonisateur, le goût vertueux de l'action. Du même coup, le colonisateur suggère que l'emploi du colonisé est peu rentable, ce qui autorise ces salaires invraisemblables.

Il peut sembler que la colonisation eût gagné à disposer d'un personnel émérite. Rien n'est moins certain. L'ouvrier qualifié, qui existe parmi les simili-colonisateurs, réclame une paie trois ou quatre fois supérieure à celle du colonisé; or il ne produit pas trois ou quatre fois plus, ni en quantité ni en qualité : *il est plus économique d'utiliser trois colonisés qu'un Européen.* Toute entreprise demande des spécialistes, certes, mais un minimum, que le colonisateur importe, ou recrute parmi les siens. Sans compter les égards, la protection légale, justement exigés par le travailleur européen. Au colonisé, on ne demande que ses bras, et il n'est que cela : en outre, ces bras sont si mal cotés, qu'on peut en louer trois ou quatre paires pour le prix d'une seule.

A l'écouter, d'ailleurs, on découvre que le colonisateur n'est pas tellement fâché de cette paresse, supposée ou réelle. Il en parle avec une complaisance amusée, il en plaisante; il reprend toutes les expressions habituelles et les perfectionne, il en invente d'autres. Rien ne suffit à caractériser l'extraordinaire déficience du colonisé. Il en devient lyrique, d'un lyrisme négatif : le colonisé n'a pas un poil dans la main, mais une canne, un arbre, et quel arbre! un eucalyptus, un thuya, un chêne centenaire d'Amérique! un arbre? non, une forêt! etc.

Mais, insistera-t-on, le colonisé est-il vraiment paresseux? La question, à vrai dire, est mal posée. Outre qu'il faudrait définir un idéal de référence, une norme, variable d'un peuple à l'autre, peut-on accuser de paresse un peuple tout entier? On peut en soupçonner des individus, même nombreux dans un même groupe; se demander si leur rendement n'est pas médiocre; si la sous-alimentation, les bas salaires, l'avenir bouché, une signification dérisoire de son rôle social, ne désintéresse pas le colonisé de sa tâche. Ce qui est suspect, c'est que l'accusation ne vise pas seulement le manœuvre agricole ou l'habitant des bidonvilles, mais aussi le professeur, l'ingénieur ou le médecin qui fournissent les mêmes heures de travail que leurs collègues colonisateurs, enfin *tous* les individus du groupement colonisé. Ce qui est suspect, c'est *l'unanimité* de l'accusation et la *globalité* de son objet; de sorte qu'aucun colonisé n'en est sauvé, et n'en pourrait jamais être sauvé. C'est-à-dire : *l'indépendance de l'accusation de toutes conditions sociologiques et historiques.*

En fait, il ne s'agit nullement d'une notation objective, donc différenciée, donc soumise à de probables transformations, mais d'une *institution :* par son accusation, le colonisateur institue le colonisé en être paresseux. Il décide que la paresse est *constitutive* de l'essence du colonisé. Cela posé, il devient évident que le colonisé, quelque fonction qu'il assume, quelque zèle qu'il y déploie, ne serait jamais autre que paresseux. Nous en revenons toujours au racisme, qui est bien une substantification, au profit de l'accusateur, d'un trait réel ou imaginaire de l'accusé.

Il est possible de reprendre la même analyse à propos de chacun des traits prêtés au colonisé.

Lorsque le colonisateur affirme, dans son langage, que le colonisé est un débile, il suggère par là que cette déficience appelle la protection. D'où, sans rire – je l'ai entendu souvent – la notion du protectorat. Il est dans l'intérêt même du colonisé qu'il soit exclu des fonctions de direction; et que ces lourdes responsabilités soient réservées au colonisateur. Lorsque le colonisateur ajoute, pour ne pas verser dans la sollicitude, que le colonisé est un arriéré pervers, aux instincts mauvais, voleur, un peu sadique, il légitime ainsi sa police et sa juste sévérité. Il faut bien se défendre contre les dangereuses sottises d'un irresponsable; et aussi, souci méritoire, le défendre contre lui-même! De même pour l'absence de besoins du colonisé, son inaptitude au confort, à la technique, au progrès, son étonnante familiarité avec la misère : pourquoi le colonisateur se préoccuperait-il de ce qui n'inquiète guère l'intéressé? Ce serait, ajoute-t-il avec une sombre et audacieuse philosophie, lui rendre un mauvais service que de l'obliger aux servitudes de la civilisation. Allons! Rappelons-nous que la sagesse est orientale, acceptons, comme lui, la misère du colonisé. De même encore, pour la fameuse ingratitude du colonisé, sur laquelle ont insisté des auteurs dits sérieux : elle rappelle à la fois tout ce que le colonisé doit au colonisateur, que tous ces bienfaits sont perdus, et qu'il est vain de prétendre amender le colonisé.

Il est remarquable que ce tableau n'ait pas d'autre nécessité. Il est difficile, par exemple, d'accorder entre eux la plupart de ces traits, de procéder à leur *synthèse objective.* On ne voit guère pourquoi le colonisé serait à la fois mineur et méchant, paresseux et arriéré. Il aurait pu être mineur et bon, comme le bon sauvage du XVIIIe siècle, ou puéril et dur à la tâche, ou paresseux et rusé. Mieux encore, les traits prêtés au colonisé s'excluent l'un l'autre, sans que cela gêne son procureur. On le dépeint en même temps frugal, sobre, sans besoins étendus *et* avalant des quantités dégoûtantes de viande, de graisse, d'alcool, de n'importe quoi; comme un lâche, qui a peur de souffrir *et* comme une brute qui n'est arrêtée par aucune des inhibitions de la civilisation, etc. Preuve supplémentaire qu'il est inutile de chercher cette cohérence ailleurs que chez le colonisateur lui-même. A la base de toute la construction, enfin, on trouve une dynamique unique : celle des exigences économiques et affectives du colonisateur, qui lui tient lieu de logique, commande et explique chacun des traits qu'il prête au colonisé. En définitive, ils sont tous *avantageux* pour le colonisateur, même ceux qui, en première apparence, lui seraient dommageables.

La déshumanisation

Ce qu'est véritablement le colonisé importe peu au colonisateur. Loin de vouloir saisir le colonisé dans sa réalité, il est préoccupé de lui faire subir cette indispensable transformation. Et le mécanisme de ce repétrissage du colonisé est lui-même éclairant.

Il consiste d'abord en une série de négations. Le colonisé *n'est pas* ceci, *n'est pas* cela. Jamais il n'est considéré positivement; ou s'il l'est, la qualité concédée relève d'un *manque* psychologique ou éthique. Ainsi pour l'hospitalité arabe, qui peut difficilement passer pour un trait négatif. Si l'on y prend garde on découvre que la louange est le fait de touristes, d'Européens de passage, et non de colonisateurs, c'est-à-dire d'Européens installés en colonie. Aussitôt en place, l'Européen ne profite plus de cette hospitalité, arrête les échanges, contribue aux barrières. Rapidement il change de palette pour peindre le colonisé, qui devient jaloux, retiré sur soi, exclusif, fanatique. Que devient la fameuse hospitalité ? Puisqu'il ne peut la nier, le colonisateur en fait alors ressortir les ombres, et les conséquences désastreuses.

Elle provient de l'irresponsabilité, de la prodigalité du colonisé, qui n'a pas le sens de la prévision, de l'économie. Du notable au fellah, les fêtes sont belles et généreuses, en effet, mais voyons la suite! Le colonisé se ruine, emprunte et finalement paye avec l'argent des autres! Parle-t-on, au contraire, de la modestie de la vie du colonisé? de la non moins fameuse absence de besoins? Ce n'est pas davantage une preuve de sagesse, mais de stupidité. Comme si, enfin, tout trait reconnu ou inventé *devait* être l'indice d'une négativité.

Ainsi s'effritent, l'une après l'autre, toutes les qualités qui font du colonisé un homme. Et l'humanité du colonisé, refusée par le colonisateur, lui devient en effet opaque. Il est vain, prétend-il, de chercher à *prévoir* les conduites du colonisé (« Ils sont imprévisibles! » ... « Avec eux, on ne sait jamais! »). Une étrange et inquiétante impulsivité lui semble commander le colonisé. Il faut que le colonisé soit bien étrange, en vérité, pour qu'il demeure si mystérieux après tant d'années de cohabitation... ou il faut penser que le colonisateur a de fortes raisons de tenir à cette illisibilité.

Autre signe de cette dépersonnalisation du colonisé : ce que l'on pourrait appeler *la marque du pluriel*. Le colonisé n'est jamais caractérisé d'une manière différentielle; il n'a droit qu'à la noyade dans le collectif anonyme. (« *Ils* sont ceci... *Ils* sont tous les mêmes. ») Si la domestique colonisée ne vient pas un matin, le colonisateur ne dira pas qu'*elle* est malade, ou qu'*elle* triche, ou qu'*elle* est tentée de ne pas respecter un contrat abusif. (Sept jours sur sept; les domestiques colonisés bénéficiant rarement du congé hebdomadaire, accordé aux autres.) Il affirmera qu'on « ne peut pas compter sur *eux* ». Ce n'est pas une clause de style. Il refuse d'envisager les événements personnels, particuliers, de la vie de sa domestique; cette vie dans sa spécificité ne l'intéresse pas, sa domestique n'existe pas comme *individu*.

Enfin le colonisateur dénie au colonisé le droit le plus précieux reconnu à la majorité des hommes : la liberté. Les conditions de vie faites au colonisé par la colonisation n'en tiennent aucun compte, ne la supposent même pas. Le colonisé ne dispose d'aucune issue pour quitter son état de malheur : ni d'une issue juridique (la naturalisation) ni d'une issue mystique (la conversion religieuse) : le colonisé n'est pas libre de se choisir colonisé ou non colonisé.

Que peut-il lui rester, au terme de cet effort obstiné de dénaturation ? Il n'est sûrement plus un *alter ego* du colonisateur. C'est à peine encore un être humain. Il tend rapidement vers l'objet. A la limite, ambition suprême du colonisateur, il devrait *ne plus exister qu'en fonction des besoins du colonisateur, c'est-à-dire s'être transformé en colonisé pur.*

On voit l'extraordinaire efficacité de cette opération. Quel devoir sérieux a-t-on envers un animal ou une chose, à quoi ressemble de plus en plus le colonisé ? On comprend alors que le colonisateur puisse se permettre des attitudes, des jugements tellement scandaleux. Un colonisé conduisant une voiture est un spectacle auquel le colonisateur refuse de s'habituer ; il lui dénie toute normalité, comme pour une pantomime simiesque. Un accident, même grave, qui atteint le colonisé, fait presque rire. Une mitraillade dans une foule colonisée lui fait hausser les épaules. D'ailleurs, une mère indigène pleurant la mort de son fils, une femme indigène pleurant son mari, ne lui rappellent que vaguement la douleur d'une mère ou d'une épouse. Ces cris désordonnés, ces gestes insolites, suffiraient à refroidir sa compassion, si elle venait à naître. Dernièrement, un auteur nous racontait avec drôlerie comment, à l'instar du gibier, on rabattait vers de grandes cages les indigènes révoltés. Que l'on ait imaginé puis osé construire ces cages, et, peut-être plus encore, que l'on ait laissé les reporters photographier les prises, prouve bien que, dans l'esprit de ses organisateurs, le spectacle n'avait plus rien d'humain.

La mystification

Ce délire destructeur du colonisé étant né des exigences du colonisateur, il n'est pas étonnant qu'il y réponde si bien, qu'il semble confirmer et justifier la conduite du colonisateur. Plus remarquable, plus nocif peut-être, est l'écho qu'il suscite chez le colonisé lui-même.

Confronté en constance avec cette image de lui-même, proposée, imposée dans les institutions comme dans tout contact humain, comment n'y réagirait-il ? Elle ne peut lui demeurer indifférente et plaquée sur lui de l'extérieur, comme une insulte qui vole avec le vent. Il finit par la reconnaître, tel un sobriquet détesté mais devenu un signal familier. L'accusation le trouble, l'inquiète d'autant plus qu'il admire et craint son puissant accusateur. N'a-t-il pas un peu raison ? murmure-t-il. Ne sommes-nous pas tout de même un peu coupables ? Paresseux, puisque nous avons tant d'oisifs ? Timorés, puisque nous nous laissons opprimer ? Souhaité, répandu par le colonisateur, ce portrait mythique et dégradant finit, dans une certaine mesure, par être accepté et vécu par le colonisé. Il gagne ainsi une certaine réalité et *contribue au portrait réel du colonisé.*

Ce mécanisme n'est pas inconnu : c'est une mystification. L'idéologie d'une classe dirigeante, on le sait, se fait adopter dans une large mesure par les classes dirigées. Or toute idéologie de combat comprend, partie intégrante d'elle-même, une conception de l'adversaire. En consentant à cette idéologie, les classes dominées confirment, d'une certaine manière, le rôle qu'on leur a assigné. Ce qui explique, entre autres, la relative stabilité des sociétés; l'oppression y est, bon gré mal gré, tolérée par les opprimés eux-mêmes. Dans la relation coloniale, la domination s'exerce de peuple à peuple, mais le schéma reste le même. La caractérisation et le rôle du colonisé occupent une place de choix dans l'idéologie colonisatrice; caractérisation infidèle au réel, incohérente en elle-même, mais nécessaire et cohérente à l'intérieur de cette idéologie. Et à laquelle le colonisé donne son assentiment, troublé, partiel, mais indéniable.

Voilà la seule parcelle de vérité dans ces notions à la mode : complexe de dépendance, colonisabilité, etc. Il existe, assurément – à un point de son évolution –, une certaine adhésion du colonisé à la colonisation. Mais cette adhésion est le résultat de la colonisation et non sa cause; elle naît *après* et non avant l'occupation coloniale. Pour que le colonisateur soit complètement le maître, il ne suffit pas qu'il le soit objectivement, il faut encore qu'il croie à sa légitimité; et, pour que cette légitimité soit entière, il ne suffit pas que le colonisé soit objectivement esclave, il est nécessaire qu'il s'accepte tel. En somme le colonisateur doit être reconnu par le colonisé. Le lien entre le colonisateur et le colonisé est ainsi destructeur et créateur. Il détruit et recrée les deux partenaires de la colonisation en colonisateur et colonisé : l'un est défiguré en oppresseur, en être partiel, incivique, tricheur, préoccupé uniquement de ses privilèges, de leur défense à tout prix; l'autre en opprimé, brisé dans son développement, composant avec son écrasement.

De même que le colonisateur est tenté de s'accepter comme colonisateur, le colonisé est obligé, pour vivre, de s'accepter comme colonisé.

2

SITUATION DU COLONISÉ

Il aurait été trop beau que ce portrait mythique restât un pur phantasme, un regard lancé sur le colonisé, qui n'aurait fait qu'adoucir la mauvaise conscience du colonisateur. Poussé par les mêmes exigences qui l'ont suscité, il ne peut manquer de se traduire en conduites effectives, en comportements agissants et constituants.

Puisque le colonisé est *présumé* voleur, il faut se garder *effectivement* contre lui; suspect par définition, pourquoi se serait-il pas coupable? Du linge a été dérobé (incident fréquent dans ces pays de soleil, où le linge sèche en plein vent et nargue ceux qui sont nus). Quel doit être le coupable sinon le premier colonisé signalé dans les parages? Et puisque c'est *peut-être* lui, on va chez lui et on *l'emmène* au poste de police.

« La belle injustice, rétorque le colonisateur! Une fois sur deux, on tombe juste. Et, de toute manière, le voleur est un colonisé; si on ne le trouve pas dans le premier gourbi, il est dans le second. »

Ce qui est exact : le voleur (j'entends le petit) se recrute en effet parmi les pauvres et les pauvres parmi les colonisés. Mais s'ensuit-il que tout colonisé soit un voleur possible et doive être traité comme tel?

Ces conduites, communes à l'ensemble des colonisateurs, s'adressant à l'ensemble des colonisés, vont donc s'exprimer en institutions. Autrement dit, elles définissent et imposent des situations objectives, qui cernent le colonisé, pèsent sur lui, jusqu'à infléchir sa conduite et imprimer des rides à son visage. En gros, ces situations seront des *situations de carences*. A l'agression idéologique qui tend à le déshumaniser, puis à le mystifier, correspondent en somme des situations concrètes qui visent au même résultat. Être mystifié c'est déjà, peu ou prou, avaliser le mythe et y conformer sa conduite, c'est-à-dire en être agi. Or ce mythe-là est, de plus, solidement étayé sur une organisation bien réelle, une administration et une juridiction; alimenté, renouvelé par les exigences historiques, économiques et culturelles du colonisateur. Serait-il insensible à la calomnie et au mépris, hausserait-il les épaules devant l'insulte ou la bousculade, comment le colonisé échapperait-il aux bas salaires, à l'agonie de sa culture, à la loi qui le régit de sa naissance à sa mort?

De même qu'il ne peut échapper à la mystification colonisatrice, il ne saurait se soustraire à ces situations concrètes, génératrices de carences. Dans une certaine mesure, le portrait réel du colonisé est fonction de cette conjonction. Renversant une formule précédente, on peut dire que la colonisation fabrique des colonisés, comme nous avons vu qu'elle fabriquait des colonisateurs.

Le colonisé et l'histoire...

La carence la plus grave subie par le colonisé est d'être placé *hors de l'histoire* et *hors de la cité*. La colonisation lui supprime toute part libre dans la guerre comme dans la paix, toute décision qui contribue au destin du monde et du sien, toute responsabilité historique et sociale.

Il arrive, certes, que les citoyens des pays libres, saisis de découragement, se disent qu'ils ne sont pour rien dans les affaires de la nation, que leur action est dérisoire, que leur voix ne porte pas, que les élections sont truquées. La presse et la radio sont aux mains de quelques-uns; ils ne peuvent pas empêcher la guerre, ni exiger la paix; ni même obtenir de leurs élus qu'ils respectent, une fois élus, ce pourquoi ils furent envoyés au Parlement... Mais ils reconnaissent aussitôt qu'ils en possèdent le *droit*; le pouvoir potentiel sinon efficace : qu'ils sont dupés ou las, mais non esclaves. Ils sont des hommes libres, momentanément vaincus par la ruse ou étourdis par la démagogie. Et quelquefois, excédés, ils prennent de subites colères, brisent leurs chaînes de ficelle et bouleversent les petits calculs des politiciens. La mémoire populaire garde un fier souvenir de ces périodiques et justes tempêtes! Tout bien réfléchi, ils s'accuseraient plutôt de ne pas se révolter plus souvent; ils sont responsables, après tout, de leur propre liberté et si, par fatigue ou faiblesse, ou scepticisme, ils la laissent inemployée, ils méritent leur punition.

Le colonisé, lui, ne se sent ni responsable ni coupable, ni sceptique, il est hors de jeu. En aucune manière il n'est sujet de l'histoire; bien entendu il en subit le poids, souvent plus cruellement que les autres, mais toujours comme objet. Il a fini par perdre l'habitude de toute participation active à l'histoire et ne la réclame même plus. Pour peu que dure la colonisation, il perd jusqu'au souvenir de sa liberté; il oublie ce qu'elle coûte ou n'ose plus en payer le prix. Sinon, comment expliquer qu'une garnison de quelques hommes puisse tenir dans un poste de montagne? Qu'une poignée de colonisateurs souvent arrogants puissent vivre au milieu d'une foule de colonisés? Les colonisateurs eux-mêmes s'en étonnent, et de là vient qu'ils accusent le colonisé de lâcheté. L'accusation est trop désinvolte, en vérité; ils savent bien que s'ils étaient menacés, leur solitude serait vite rompue : toutes les ressources de la technique, téléphone, télégramme, avion, mettraient à leur disposition, en quelques minutes, des moyens effroyables de défense et de destruction. Pour un colonisateur tué, des centaines, des milliers de colonisés ont été, ou seront exterminés. L'expérience a été assez souvent renouvelée – peut-être provoquée – pour avoir convaincu le colonisé de l'inévitable et terrible sanction. Tout a été mis en œuvre pour effacer en lui le courage de mourir et d'affronter la vue du sang.

Il est d'autant plus clair, que s'il s'agit bien d'une carence, née d'une situation et de la volonté du colonisateur, il ne s'agit que de cela. Et non de quelque impuissance congénitale à assumer l'histoire. La difficulté même du conditionnement négatif, l'obstinée sévérité des lois le prouve déjà. Alors que l'indulgence est plénière pour les petits arsenaux du colonisateur, la découverte d'une arme rouillée entraîne une punition immédiate. La fameuse fantasia n'est plus qu'un numéro d'animal domestique, à qui l'on demande de rugir comme autrefois pour donner le frisson aux invités. Mais l'animal rugit fort bien; et la nostalgie des armes est toujours là, elle est de toutes les cérémonies, du nord au sud de l'Afrique. La carence guerrière semble proportionnelle à l'importance de la présence colonisatrice; les tribus les plus isolées restent les plus promptes à se saisir de leurs armes. Ce n'est pas là une preuve de *sauvagerie,* mais que le conditionnement n'est pas assez alimenté.

C'est pourquoi, également, l'expérience de la dernière guerre fut tellement décisive. Elle n'a pas seulement, comme on l'a dit, appris imprudemment aux colonisés la technique de la guérilla. Elle leur a rappelé, suggéré la possibilité d'une conduite agressive et libre. Les gouvernements européens qui, après cette guerre, ont interdit la projection, dans les salles coloniales, de films comme *La Bataille du Rail,* n'eurent pas tort, de leur point de vue. Les westerns américains, les films de gangsters, les bandes de propagandes guerrières montraient déjà, leur a-t-on objecté, la manière d'utiliser un revolver ou une mitraillette. L'argument n'est pas suffisant. La signification des films de résistance est toute différente : des opprimés, à peine armés ou même pas du tout, *osaient* s'attaquer à leurs oppresseurs.

Un peu plus tard, lorsque éclatèrent les premiers troubles dans les colonies, ceux qui n'en comprirent pas le sens se rassuraient en faisant le compte des combattants actifs, en ironisant sur leur petit nombre. Le colonisé hésite, en effet, avant de reprendre son destin entre ses mains. Mais le sens de l'événement dépassait tellement son poids arithmétique! Quelques colonisés ne tremblaient plus devant l'uniforme du colonisateur! On a plaisanté l'insistance des révoltés à s'habiller de kaki et de manière homogène. Ils espèrent, bien sûr, être considérés comme des soldats et traités selon les lois de la guerre. Mais il y a davantage dans cette obstination : ils revendiquent, ils revêtent la livrée de l'histoire; car – hélas, soit – l'histoire, aujourd'hui, est habillée en militaire.

De même pour les affaires de la cité : « Ils ne sont pas capables de se gouverner tout seuls », dit le colonisateur. « C'est pourquoi, explique-t-il, je ne les laisse pas... et ne les laisserai jamais accéder au gouvernement. »

Le fait est que le colonisé ne gouverne pas. Que strictement éloigné du pouvoir, il finit en effet par en perdre l'habitude et le goût. Comment s'intéresserait-il à ce dont il est si résolument exclu ? Les colonisés ne sont pas riches en hommes de gouvernement. Comment une si longue vacance du pouvoir autonome susciterait-elle des compétences ? Le colonisateur peut-il se prévaloir de ce présent truqué pour barrer l'avenir ?

Parce que les organisations colonisées ont des revendications nationalistes, on conclut souvent que le colonisé est chauvin. Rien n'est moins certain. Il s'agit, au contraire, d'une ambition, et d'une technique de rassemblement qui fait appel à des motifs passionnels. Sauf chez les militants de cette renaissance nationale, les signes habituels du chauvinisme – amour agressif du drapeau, utilisation de chants patriotiques, conscience aiguë d'appartenir à un même organisme national – sont rares chez le colonisé. On répète que la colonisation a précipité la prise de conscience nationale du colonisé. On pourrait aussi bien affirmer qu'elle en a modéré le rythme, en maintenant le colonisé hors des conditions objectives de la nationalité contemporaine. Est-ce une coïncidence si les peuples colonisés sont les derniers à naître à cette conscience d'eux-mêmes ?

Le colonisé ne jouit d'aucun des attributs de la nationalité ; ni de la sienne, qui est dépendante, contestée, étouffée, ni, bien entendu, de celle du colonisateur. Il ne peut guère tenir à l'une ni revendiquer l'autre. N'ayant pas sa juste place dans la cité, ne jouissant pas des droits du citoyen moderne, n'étant pas soumis à ses devoirs courants, ne votant pas, ne portant pas le poids des affaires communes, il ne peut se sentir un citoyen véritable. Par suite de la colonisation, le colonisé ne fait presque jamais l'expérience de la nationalité et de la citoyenneté, sinon *privativement : nationalement, civiquement, il n'est que ce que n'est pas le colonisateur.*

L'enfant colonisé

Cette mutilation sociale et historique est probablement la plus grave et la plus lourde de conséquences. Elle contribue à carencer les autres aspects de la vie du colonisé et, par un effet de retour, fréquent dans les processus humains, elle se trouve elle-même alimentée par les autres infirmités du colonisé.

Ne se considérant pas comme un citoyen, le colonisé perd également l'espoir de voir son fils en devenir un. Bientôt, y renonçant de lui-même, il n'en forme plus le projet, l'élimine de ses ambitions paternelles, et ne lui fait aucune place dans sa pédagogie. Rien donc ne suggérera au jeune colonisé l'assurance, la fierté de sa citoyenneté. Il n'en attendra pas d'avantages, il ne sera pas préparé à en assumer les charges. (Rien non plus, bien entendu, dans son éducation scolaire, où les allusions à la cité, à la nation, seront toujours par référence à la nation colonisatrice.) Ce trou pédagogique, résultat de la carence sociale, vient donc perpétuer cette même carence, qui atteint une des dimensions essentielles de l'individu colonisé.

Plus tard, adolescent, c'est à peine s'il entrevoit la seule issue à une situation familiale désastreuse : la révolte. Le cercle est bien fermé. La révolte contre le père et la famille est un acte sain, et indispensable à l'achèvement de soi; il permet de commencer la vie d'homme; nouvelle bataille heureuse et malheureuse, mais parmi les autres hommes. Le conflit des générations peut et doit se résoudre dans le conflit social; inversement, il est ainsi facteur de mouvement et de progrès. Les jeunes générations trouvent dans le mouvement collectif la solution de leurs difficultés, et choisissant le mouvement, ils l'accélèrent. Faut-il encore que ce mouvement soit possible. Or sur quelle vie, sur quelle dynamique sociales débouche-t-on ici? La vie de la colonie est figée; ses structures sont à la fois corsetées et sclérosées. Aucun rôle nouveau ne s'offre au jeune homme, aucune invention n'est possible. Ce que le colonisateur reconnaît par un euphémisme devenu classique : il *respecte,* proclame-t-il, les us et coutumes du colonisé. Et certes, il ne peut que les *respecter,* fût-ce par la force. *Tout changement ne pouvant se faire que contre la colonisation,* le colonisateur est conduit à favoriser les éléments les plus rétrogrades. Il n'est pas seul responsable de cette momification de la société colonisée; il est de relative bonne foi en soutenant qu'elle est indépendante de sa seule *volonté.* Elle découle largement, cependant, de la *situation coloniale.* N'étant pas maîtresse de son destin, n'étant plus sa propre législatrice, ne disposant pas de son organisation, la société colonisée ne peut plus accorder ses institutions à ses besoins profonds. Or ce sont ses besoins qui modèlent le visage organisationnel de toute société normale, au moins relativement. C'est sous leur pression constante que le visage politique et administratif de la France s'est progressivement transformé le long des siècles. Mais si la discordance devient trop flagrante, et l'harmonie impossible à réaliser dans les formes légales existantes, c'est la révolution ou la sclérose.

La société colonisée est une société malsaine où la dynamique interne n'arrive plus à déboucher en structures nouvelles. Son visage durci depuis des siècles n'est plus qu'un masque, sous lequel elle étouffe et agonise lentement. Une telle société ne peut résorber les conflits de générations, car elle ne se laisse pas transformer. La révolte de l'adolescent colonisé, loin de se résoudre en mouvement, en progrès social, ne peut que s'enliser dans les marécages de la société colonisée (*A moins qu'elle ne soit une révolte absolue*, mais cela nous y reviendrons.)

Les valeurs refuges

Tôt ou tard, il se rabat donc sur des positions de repli, c'est-à-dire sur les valeurs traditionnelles.

Ainsi s'explique l'étonnante survivance de la famille colonisée : elle s'offre en véritable valeur-refuge. Elle sauve le colonisé du désespoir d'une totale défaite, mais se trouve, en échange, confirmée par ce constant apport d'un sang nouveau. Le jeune homme se mariera, se transformera en père de famille dévoué, en frère solidaire, en oncle responsable, et jusqu'à ce qu'il prenne la place du père, en fils respectueux. Tout est rentré dans l'ordre : la révolte et le conflit ont abouti à la victoire des parents et de la tradition.

Mais c'est une triste victoire. La société colonisée n'aura pas bougé d'un demi-pas; pour le jeune homme c'est une catastrophe intérieure. Définitivement, il restera agglutiné à cette famille, qui lui offre chaleur et tendresse, mais qui le couve, l'absorbe et le castre. La cité n'exige pas de lui des devoirs complets de citoyen? les lui refuserait s'il songeait encore à les réclamer? lui concède peu de droits, lui interdit toute vie nationale? En vérité, il n'en a plus impérieusement besoin. Sa juste place, toujours réservée dans la douce fadeur des réunions de clan, le comble. Il aurait peur d'en sortir. De bon gré maintenant, il se soumet, comme les autres, à l'autorité du père et se prépare à le remplacer. Le modèle est débile, son univers est celui d'un vaincu! mais quelle autre issue lui reste-t-il?... Par un paradoxe curieux, le père est à la fois débile et envahissant, parce que complètement adopté. *Le jeune homme est prêt à endosser son rôle d'adulte colonisé : c'est-à-dire à s'accepter comme être d'oppression.*

De même pour l'indiscutable emprise d'une religion, à la fois vivace et formelle. Complaisamment, les missionnaires présentent ce formalisme comme un trait essentiel des religions non chrétiennes. Suggérant ainsi que le seul moyen d'en sortir serait de passer dans la religion d'à côté.

En fait, toutes les religions ont des moments de formalisme coercitif et des moments de souplesse indulgente. Il reste à expliquer pourquoi tel groupe humain, à telle période de son histoire, subit tel stade. Pourquoi cette rigidité creuse des religions colonisées?

Il serait vain d'échafauder une psychologie religieuse particulière au colonisé; ou d'en appeler à la fameuse nature-qui-explique-tout. S'ils accordent une certaine attention au fait religieux, je n'ai pas remarqué chez mes élèves colonisés une religiosité surabondante. L'explication me paraît être parallèle à celle de l'emprise familiale. Ce n'est pas une psychologie originale qui explique l'importance de la famille, ni l'intensité de la vie familiale l'état des structures sociales. C'est, au contraire, l'impossibilité d'une vie sociale complète, d'un libre jeu de la dynamique sociale, qui entretient la vigueur de la famille, replie l'individu sur cette cellule plus restreinte, qui le sauve et l'étouffe. De même, l'état global des institutions colonisées rend compte du poids abusif du fait religieux.

Avec son réseau institutionnel, ses fêtes collectives et périodiques, la religion constitue une autre *valeur-refuge* : pour l'individu comme pour le groupe. Pour l'individu, elle s'offre comme une des rares lignes de repli ; pour le groupe, elle est une des rares manifestations qui puisse protéger son existence originale. La société colonisée ne possédant pas de structures nationales, ne pouvant s'imaginer un avenir historique, doit se contenter de la torpeur passive de son présent. Ce présent même, elle doit le soustraire à l'envahissement conquérant de la colonisation, qui l'enserre de toutes parts, la pénètre de sa technique, de son prestige auprès des jeunes générations. Le formalisme, dont le formalisme religieux n'est qu'un aspect, est le kyste dans lequel elle s'enferme, et se durcit ; réduisant sa vie pour la sauver. Réaction spontanée d'autodéfense, moyen de sauvegarde de la conscience collective, sans laquelle un peuple rapidement n'existe plus. Dans les conditions de dépendance coloniale, l'affranchissement religieux, comme l'éclatement de la famille, aurait comporté un risque grave de mourir à soi-même.

La sclérose de la société colonisée est donc la conséquence de deux processus de signes contraires : *un enkystement né de l'intérieur, un corset imposé de l'extérieur.* Les deux phénomènes ont un facteur commun : le contrat avec la colonisation. Ils convergent en un résultat commun : la catalepsie sociale et historique du colonisé.

Tant qu'il supporte la colonisation, la seule alternative possible pour le colonisé est l'assimilation ou la pétrification. L'assimilation lui étant refusée, nous le verrons, il ne lui reste plus qu'à vivre hors du temps. Il en est refoulé par la colonisation et, dans une certaine mesure, il s'en accommode. La projection et la construction d'un avenir lui étant interdites, il se limite à un présent; et ce présent lui-même est amputé, abstrait.

Ajoutons maintenant qu'il dispose de moins en moins de son passé. Le colonisateur ne lui en a même jamais connu; et tout le monde sait que le roturier, dont on ignore les origines, n'en a pas. Il y a plus grave. Interrogeons le colonisé lui-même : quels sont ses héros populaires? Ses grands conducteurs de peuple? Ses sages? A peine s'il peut nous livrer quelques noms, dans un désordre complet, et de moins en moins à mesure qu'on descend les générations. *Le colonisé semble condamné à perdre progressivement la mémoire.*

Le souvenir n'est pas un phénomène de pur esprit. De même que la mémoire de l'individu est le fruit de son histoire et de sa physiologie, celle d'un peuple repose sur ses institutions. Or les institutions du colonisé sont mortes ou sclérosées. Celles qui gardent une apparence de vie, il n'y croit guère, il vérifie tous les jours leur inefficacité; il lui arrive d'en avoir honte, comme d'un monument ridicule et suranné.

Toute l'efficacité, au contraire, tout le dynamisme social, semblent accaparés par les institutions du colonisateur. Le colonisé a-t-il besoin d'aide? C'est à elles qu'il s'adresse. Est-il en faute? C'est d'elles qu'il reçoit sanction. Immanquablement, il termine devant des magistrats colonisateurs. Quand un homme d'autorité par hasard porte chéchia, il aura le regard fuyant et le geste plus cassant, comme s'il voulait prévenir tout appel, comme s'il était sous la constante surveillance du colonisateur. La cité se met-elle en fête ? Ce sont les fêtes du colonisateur, même religieuses, qui sont célébrées avec éclat : Noël et Jeanne d'Arc, le Carnaval et le Quatorze Juillet..., ce sont les armées du colonisateur qui défilent, celles-là mêmes qui ont écrasé le colonisé et le maintiennent en place et l'écraseront encore s'il le faut.

Bien sûr, en vertu de son formalisme, le colonisé conserve toutes ses fêtes religieuses, identiques à elles-mêmes depuis des siècles. Précisément, ce sont les seules fêtes religieuses qui, en un sens, sont hors du temps. Plus exactement, elles se trouvent à l'origine du temps de l'histoire, et non dans l'histoire. Depuis le moment où elles ont été instituées, il ne s'est plus rien passé dans la vie de ce peuple. Rien de particulier à son existence propre, qui mérite d'être retenu par la conscience collective, et fêté. Rien qu'un grand vide.

Les quelques traces matérielles, enfin, de ce passé s'effacent lentement, et les vestiges futurs ne porteront plus la marque du groupe colonisé. Les quelques statues qui jalonnent la ville figurent, avec un incroyable mépris pour le colonisé qui les côtoie chaque jour, les hauts faits de la colonisation. Les constructions empruntent les formes aimées du colonisateur; et jusqu'aux noms des rues rappellent les provinces lointaines d'où il vient. Il arrive, certes, que le colonisateur lance un style néo-oriental, comme le colonisé imite le style européen. Mais il ne s'agit que d'exotisme (vieilles armes et coffres anciens) et non de renaissance; le colonisé, lui, ne fait qu'éviter son passé.

L'école du colonisé

Par quoi se transmet encore l'héritage d'un peuple ?

Par l'éducation qu'il donne à ses enfants, et la langue, merveilleux réservoir sans cesse enrichi d'expériences nouvelles. Les traditions et les acquisitions, les habitudes et les conquêtes, les faits et gestes des générations précédentes, sont ainsi léguées et inscrites dans l'histoire.

Or la très grande majorité des enfants colonisés sont dans la rue. Et celui qui a la chance insigne d'être accueilli dans une école, n'en sera pas nationalement sauvé : la mémoire qu'on lui constitue n'est sûrement pas celle de son peuple. L'histoire qu'on lui apprend n'est pas la sienne. Il sait qui fut Colbert ou Cromwell mais non qui fut Khaznadar; qui fut Jeanne d'Arc mais non la Kahena. Tout semble s'être passé ailleurs que chez lui; son pays et lui-même sont en l'air, ou n'existent que par référence aux Gaulois, aux Francs, à la Marne; par référence à ce qu'il n'est pas, au christianisme, alors qu'il n'est pas chrétien, à l'Occident qui s'arrête devant son nez, sur une ligne d'autant plus infranchissable qu'elle est imaginaire. Les livres l'entretiennent d'un univers qui ne rappelle en rien le sien; le petit garçon s'y appelle Toto et la petite fille Marie; et les soirs d'hiver, Marie et Toto, rentrant chez eux par des chemins couverts de neige, s'arrêtent devant le marchand de marrons. Ses maîtres, enfin, ne prennent pas la suite du père, ils n'en sont pas le relais prestigieux et sauveur comme tous les maîtres du monde, ils sont autres. Le transfert ne se fait pas, ni de l'enfant au maître, ni (trop souvent, il faut l'avouer) du maître à l'enfant; et cela l'enfant le sent parfaitement. Un de mes anciens camarades de classe m'a avoué que la littérature, les arts, la philosophie, lui étaient demeurés effectivement étrangers, comme appartenant à un monde étranger, celui de l'école. Il lui avait fallu un long séjour parisien pour qu'il commence véritablement à les investir.

Si le transfert finit par s'opérer, il n'est pas sans danger : le maître et l'école représentent un univers trop différent de l'univers familial. Dans les deux cas, enfin, loin de préparer l'adolescent à se prendre *totalement* en main, l'école établit en son sein une définitive dualité.

Le bilinguisme colonial...

Ce déchirement essentiel du colonisé se trouve particulièrement exprimé et symbolisé par le bilinguisme colonial.

Le colonisé n'est sauvé de l'analphabétisme que pour tomber dans le dualisme linguistique. S'il a cette chance. La majorité des colonisés n'auront jamais la bonne fortune de souffrir les tourments du bilingue colonial. Ils ne disposeront jamais que de leur langue maternelle; c'est-à-dire une langue ni écrite ni lue, qui ne permet que l'incertaine et pauvre culture orale.

De petits groupes de lettrés s'obstinent, certes, à cultiver la langue de leur peuple, à la perpétuer dans ses splendeurs savantes et passées. Mais ces formes subtiles ont perdu, depuis longtemps, tout contact avec la vie quotidienne, sont devenues opaques pour l'homme de la rue. Le colonisé les considère comme des reliques, et ces hommes vénérables comme des somnambules, qui vivent un vieux rêve.

Encore si le parler maternel permettait au moins une

emprise actuelle sur la vie sociale, traversait les guichets des administrations ou ordonnait le trafic postal. Même pas. Toute la bureaucratie, toute la magistrature, toute la technicité n'entend et n'utilise que la langue du colonisateur, comme les bornes kilométriques, les panneaux de gares, les plaques des rues et les quittances. Muni de sa seule langue, le colonisé est un étranger dans son propre pays.

Dans le contexte colonial, le bilinguisme est nécessaire. Il est condition de toute communication, de toute culture et de tout progrès. Mais le bilingue colonial n'est sauvé de l'emmurement que pour subir une catastrophe culturelle, jamais complètement surmontée.

La non-coïncidence entre la langue maternelle et la langue culturelle n'est pas propre au colonisé. Mais le bilinguisme colonial ne peut être assimilé à n'importe quel dualisme linguistique. La possession de deux langues n'est pas seulement celle de deux outils, c'est la participation à deux royaumes psychiques et culturels. Or, ici, *les deux univers symbolisés, portés par les deux langues, sont en conflit* : ce sont ceux du colonisateur et du colonisé.

En outre, la langue maternelle du colonisé, celle qui est nourrie de ses sensations, ses passions et ses rêves, celle dans laquelle se libèrent sa tendresse et ses étonnements, celle enfin qui recèle la plus grande charge affective, celle-là précisément est *la moins valorisée.* Elle n'a aucune dignité dans le pays ou dans le concert des peuples. S'il veut obtenir un métier, construire sa place, exister dans la cité et dans le monde, il doit d'abord se plier à la langue des autres, celle des colonisateurs, ses maîtres. Dans le conflit linguistique qui habite le colonisé, sa langue maternelle est l'humiliée, l'écrasée. Et ce mépris, objectivement fondé, il finit par le faire sien. De lui-même, il se met à écarter cette langue infirme, à la cacher aux yeux des étrangers, à ne paraître à l'aise que dans la langue du colonisateur. En bref, le bilinguisme colonial n'est ni une diglossie, où coexistent un idiome populaire et une langue de puriste, appartenant tous les deux au même univers affectif, ni une simple richesse polyglotte, qui bénéficie d'un clavier supplémentaire mais relativement neutre; c'est un *drame linguistique*.

... et la situation de l'écrivain

On s'étonne que le colonisé n'ait pas de littérature vivante dans sa propre langue. Comment s'adresserait-il à elle, alors qu'il la dédaigne? Comme il se détourne de sa musique, de ses arts plastiques, de toute sa culture traditionnelle? Son ambiguïté linguistique est le symbole, et l'une des causes majeures, de son ambiguïté culturelle. Et la situation de l'écrivain colonisé en est une parfaite illustration.

Les conditions matérielles de l'existence colonisée suffiraient, certes, à expliquer sa rareté. La misère excessive du plus grand nombre réduit à l'extrême les chances statistiques de voir naître et croître un écrivain. Mais l'histoire nous montre qu'il n'est besoin que d'une classe privilégiée pour fournir en artistes tout un peuple. En fait, le rôle de l'écrivain colonisé est trop difficile à soutenir : il incarne toutes les ambiguïtés, toutes les impossibilités du colonisé, portées à l'extrême degré.

Supposons qu'il ait appris à manier sa langue, jusqu'à la recréer en œuvres écrites, qu'il ait vaincu son refus profond de s'en servir; pour qui écrirait-il, pour quel public? S'il s'obstine à écrire dans sa langue, il se condamne à parler devant un auditoire de sourds. Le peuple est inculte et ne lit aucune langue, les bourgeois et les lettrés n'entendent que celle du colonisateur. Une seule issue lui reste, qu'on présente comme naturelle : qu'il écrive dans la langue du colonisateur. Comme s'il ne faisait pas que changer d'impasse!

Il faut, bien entendu, qu'il surmonte son handicap. Si le bilingue colonial a l'avantage de connaître deux langues, il n'en maîtrise totalement aucune. Cela explique également les lenteurs à naître des littératures colonisées. Il faut gâcher beaucoup de matière humaine, une multitude de coups de dés pour la chance d'un beau hasard. Après quoi ressurgit l'ambiguïté de l'écrivain colonisé, sous une forme nouvelle mais plus grave.

Curieux destin que d'écrire pour un autre peuple que le sien! Plus curieux encore que d'écrire pour les vainqueurs de son peuple! On s'est étonné de l'âpreté des premiers écrivains colonisés. Oublient-ils qu'ils s'adressent au même public dont ils empruntent la langue? Ce n'est, pourtant, ni inconscience, ni ingratitude, ni insolence. A ce public précisément, dès qu'ils osent parler, que vont-ils dire sinon leur malaise et leur révolte? Espérait-on des paroles de paix de celui qui souffre d'une longue discorde? De la reconnaissance pour un prêt si lourd d'intérêt?

Pour un prêt qui, d'ailleurs, ne sera jamais qu'un prêt. A vrai dire, nous quittons ici la description pour la prévision. Mais elle est si lisible, si évidente! L'émergence d'une littérature de colonisés, la prise de conscience des écrivains nord-africains par exemple, n'est pas un phénomène isolé. Elle participe de la prise de conscience de soi de tout un groupe humain. Le fruit n'est pas un accident ou un miracle de la plante, mais le signe de sa maturité. Tout au plus le surgissement de l'artiste colonisé devance un peu la prise de conscience collective dont il participe, qu'il hâte en y participant. Or la revendication la plus urgente d'un groupe qui s'est repris est certes *la libération et la restauration de sa langue.*

Si je m'étonne, en vérité, c'est que l'on puisse s'étonner. Seule cette langue permettrait au colonisé de renouer son temps interrompu, de retrouver sa continuité perdue et celle de son histoire. La langue française est-elle seulement un instrument, précis et efficace? ou ce coffre merveilleux, où s'accumulent les découvertes et les gains, des écrivains et des moralistes, des philosophes et des savants, des héros et des aventuriers, où se transforment en une légende unique les trésors de l'esprit et de l'âme des Français?

L'écrivain colonisé, péniblement arrivé à l'utilisation des langues européennes – celles des colonisateurs, ne l'oublions pas –, ne peut que s'en servir pour réclamer en faveur de la sienne. Ce n'est là ni incohérence ni revendication pure ou aveugle ressentiment, mais une nécessité. Ne le ferait-il pas, que tout son peuple finirait par s'y mettre. Il s'agit d'une dynamique objective qu'il alimente certes, mais qui le nourrit et continuerait sans lui. Ce faisant, s'il contribue à liquider son drame d'homme, il confirme, il accentue son drame d'écrivain. Pour concilier son destin avec lui-même, il pourrait s'essayer à écrire dans sa langue maternelle. Mais on ne refait pas un tel apprentissage dans une vie d'homme. L'écrivain colonisé est condamné à vivre ses divorces jusqu'à sa mort. Le problème ne peut se clore que de deux manières : par tarissement naturel de la littérature colonisée; les prochaines générations, nées dans la liberté, écriront spontanément dans leur langue retrouvée. Sans attendre si loin, une autre possibilité peut tenter l'écrivain : décider d'appartenir totalement à la littérature métropolitaine. Laissons de côté les problèmes éthiques soulevés par une telle attitude. C'est alors le suicide de la littérature colonisée. Dans les deux perspectives, seule l'échéance différant, *la littérature colonisée de langue européenne semble condamnée à mourir jeune.*

L'être de carence

Tout se passe, enfin, comme si la colonisation contemporaine était un raté de l'histoire. Par sa fatalité propre et par égoïsme, elle aura en tout échoué, pollué tout ce qu'elle aura touché. Elle aura pourri le colonisateur et détruit le colonisé.

Pour mieux triompher, elle s'est voulue au service unique d'elle-même. Mais, excluant l'homme colonisé, par lequel seul elle aurait pu marquer la colonie, elle s'est condamnée à y demeurer étrangère, donc nécessairement éphémère.

De son suicide, cependant, elle n'est comptable que d'elle-même. Plus impardonnable est son crime historique contre le colonisé : elle l'aura versé sur le bord de la route, hors du temps contemporain.

La question de savoir si le colonisé, livré à lui-même, aurait marché du même pas que les autres peuples n'a pas grande signification. En vérité stricte, nous n'en savons rien. Il est possible que non. Il n'y a certes pas que le facteur colonial pour expliquer le retard d'un peuple. Tous les pays n'ont pas suivi le même rythme que celui de l'Amérique ou de l'Angleterre; ils avaient chacun leurs causes particulières de retard et leurs propres freins. Néanmoins, ils ont marché chacun de leur propre pas et dans leur voie. Au surplus, peut-on légitimer le malheur historique d'un peuple par les difficultés des autres ? Les colonisés ne sont pas les seules victimes de l'histoire, bien sûr, mais le malheur historique propre aux colonisés fut la colonisation.

A ce même faux problème revient la question si troublante pour beaucoup : le colonisé n'a-t-il pas, *tout de même, profité* de la colonisation ? *Tout de même,* le colonisateur n'a-t-il pas ouvert des routes, bâti des hôpitaux et des écoles ? Cette restriction, à la vie si dure, revient à dire que la colonisation fut tout de même positive; car, *sans elle,* il n'y aurait eu ni routes, ni hôpitaux, ni écoles. Qu'en savons-nous ? Pourquoi devons-nous supposer que le colonisé se serait figé dans l'état où l'a trouvé le colonisateur ? On pourrait aussi bien affirmer le contraire : si la colonisation n'avait pas eu lieu, il y aurait eu plus d'écoles et plus d'hôpitaux. Si l'histoire tunisienne était mieux connue, on aurait vu que le pays était alors en pleine gésine. Après avoir exclu le colonisé de l'histoire, lui avoir interdit tout devenir, le colonisateur affirme son immobilité foncière, passée et définitive.

Cette objection, d'ailleurs, ne trouble que ceux qui sont prêts à l'être. J'ai renoncé jusqu'ici à la commodité des chiffres et des statistiques. Ce serait le moment d'y faire un appel discret : après plusieurs décennies de colonisation, la foule des enfants dans la rue l'emporte de si loin sur ceux qui sont en classe ! Le nombre des lits d'hôpitaux est si dérisoire devant celui des malades, l'intention des tracés routiers est si claire, si désinvolte à l'égard du colonisé, si étroitement soumise aux besoins du colonisateur ! Pour ce peu, vraiment, la colonisation n'était pas indispensable. Est-ce une telle audace de prétendre que la Tunisie de 1952 aurait été, de toute manière, très différente de celle de 1881 ? Il existe, enfin, d'autres possibilités d'influence et d'échanges entre les peuples que la domination. D'autres petits pays se sont largement transformés sans avoir eu besoin d'être colonisés. Ainsi de nombreux pays d'Europe centrale...

Mais depuis un moment, notre interlocuteur sourit, sceptique.

– Ce n'est tout de même pas la même chose...

– Pourquoi ? Vous voulez dire, n'est-ce pas, que ces pays sont peuplés d'Européens ?

– Heu !... oui !

– Et voilà, monsieur ! vous êtes tout simplement raciste.

Nous en revenons, en effet, au même préjugé fondamental. Les Européens ont conquis le monde parce que leur nature les y prédisposait, les non-Européens furent colonisés parce que leur nature les y condamnait.

Allons, soyons sérieux, laissons là et le racisme et cette manie de refaire l'histoire. Laissons même de côté le problème de la responsabilité *initiale* de la colonisation. Fut-elle le résultat de l'expansion capitaliste ou l'entreprise contingente d'hommes d'affaires voraces ? En définitive, tout cela n'est pas si important. Ce qui compte, c'est la *réalité actuelle* de la colonisation et du colonisé. Nous ne savons guère ce que le colonisé aurait été sans la colonisation, mais nous voyons bien ce qu'il est devenu par suite de la colonisation. Pour mieux le maîtriser et l'exploiter, le colonisateur l'a refoulé hors du circuit historique et social, culturel et technique. Ce qui est actuel et vérifiable, c'est que la culture du colonisé, sa société, son savoir-faire sont gravement atteints, et qu'il n'a pas acquis un nouveau savoir et une nouvelle culture. Un résultat patent de la colonisation est qu'il n'y a plus d'artistes et pas encore de techniciens colonisés. C'est vrai qu'il existe aussi une carence technique du colonisé. « Travail arabe », dit le colonisateur avec mépris. Mais loin d'y trouver une excuse pour sa conduite et un point de comparaison à son avantage, il doit y voir sa propre accusation. C'est vrai que les colonisés ne savent pas travailler. Mais où le leur a-t-on appris, qui leur a enseigné la technique moderne ? Où sont les écoles professionnelles et les centres d'apprentissage ?

Vous insistez trop, dit-on quelquefois, sur la technique industrielle. Et les artisans ? Voyez cette table de bois blanc ; pourquoi est-elle en bois de caisse ? et mal finie, mal rabotée, ni peinte ni cirée ? Certes, cette description est exacte. De convenable dans ces tables à thé, il n'y a que la forme, cadeau séculaire fait à l'artisan par la tradition. Mais pour le reste, c'est la commande qui suscite la création. Or pour qui sont faites ces tables ? L'acheteur n'a pas de quoi payer ces coups de rabot supplémentaires, ni la cire, ni la peinture. Alors, elles restent en planches à caisses disjointes, où les trous des clous demeurent ouverts.

Le fait vérifiable est que la colonisation carence le colonisé et que toutes les carences s'entretiennent et s'alimentent l'une l'autre. La non-industrialisation, l'absence de développement technique du pays conduit au lent écrasement économique du colonisé. Et l'écrasement économique, le niveau de vie des masses colonisées empêchent le technicien d'exister, comme l'artisan de se parfaire et de créer. Les causes dernières sont les refus du colonisateur, qui s'enrichit davantage à vendre de la matière première qu'à concurrencer l'industrie métropolitaine. Mais en outre, le système fonctionne en rond, acquiert une autonomie du malheur. Aurait-on ouvert plus de centres d'apprentissage, et même des universités, ils n'auraient pas sauvé le colonisé, qui n'aurait pas trouvé, en sortant, l'utilisation de son savoir. Dans un pays qui manque de tout, les quelques ingénieurs colonisés qui ont réussi à obtenir leurs diplômes, sont utilisés comme bureaucrates ou comme enseignants! La société colonisée n'a pas un besoin directe de techniciens et n'en suscite pas. Mais malheur à qui n'est pas indispensable! Le manœuvre colonisé est interchangeable, pourquoi le payer son juste prix? De plus, notre temps et notre histoire sont de plus en plus techniciens; le retard technique du colonisé augmente et paraît justifier le mépris qu'il inspire. Il concrétise, semble-t-il, la distance qui le sépare du colonisateur. Et il n'est pas faux que la distance technique est cause en partie de l'incompréhension des deux partenaires. Le niveau général de vie du colonisé est si bas souvent que le contact est presque impossible. On s'en tire en parlant du Moyen Age de la colonie. On peut poursuivre ainsi longtemps. L'usage, la jouissance des techniques, créent des traditions techniques. Le petit Français, le petit Italien, ont l'occasion de tripoter un moteur, une radio, ils sont environnés par les produits de la technique. Beaucoup de colonisés attendent de quitter la maison paternelle pour approcher la moindre machine. Comment auraient-ils du goût pour la civilisation mécanicienne et l'intuition de la machine?

Tout dans le colonisé, enfin, est carencé, tout contribue à le carencer. Même son corps, mal nourri, malingre et malade. Bien des palabres seraient économisées si, en préalable à toute discussion, on commençait par poser : d'abord, il y a la misère, collective et permanente, immense. La simple et bête misère biologique, la faim chronique de tout un peuple, la sous-alimentation et la maladie. Bien sûr, de loin, cela reste un peu abstrait, et il y faudrait une imagination hallucinatoire. Je me souviens de ce jour où le car de la « Tunisienne Automobile », qui nous emmenait vers le sud, s'arrêta au milieu d'une foule dont les bouches souriaient, mais dont les yeux, presque tous les yeux, coulaient sur les joues; où je cherchai avec malaise un regard non trachomateux où je puisse reposer le mien. Et la tuberculose, et la syphilis, et ces corps squelettiques et nus, qui se promènent entre les chaises des cafés, comme des morts-vivants, collants comme des mouches, les mouches de nos remords...

– Ah! non, s'écrie notre interlocuteur, cette misère, elle y était! Nous l'avons trouvée en arrivant!

Soit. (Voire, d'ailleurs; l'habitant des bidonvilles est souvent un fellah dépossédé.) Mais comment un tel système social, qui perpétue de telles détresses – à supposer qu'il ne les crée pas –, pourrait-il tenir longtemps? Comment ose-t-on comparer les avantages et les inconvénients de la colonisation? Quels avantages, fussent-ils mille fois plus importants, pourraient faire accepter de telles catastrophes, intérieures et extérieures?

3

LES DEUX RÉPONSES DU COLONISÉ

Ah! ils ne sont pas beaux, le corps et le visage du colonisé! Ce n'est pas sans dommages que l'on subit le poids d'un tel malheur historique. Si le visage du colonisateur est celui, odieux, de l'oppresseur, celui de sa victime n'exprime certes pas le calme et l'harmonie. Le colonisé n'existe pas selon le mythe colonialiste, mais il est tout de même reconnaissable. Être d'oppression, il est fatalement un être de carence.

Comment peut-on croire, après cela, qu'il puisse jamais s'y résigner? Accepter la relation coloniale et cette figure de souffrance et de mépris qu'elle lui assigne? Il y a, dans tout colonisé, une exigence fondamentale de changement. Et la méconnaissance du fait colonial, ou l'aveuglement intéressé, doit être immense pour l'ignorer. Pour affirmer, par exemple, que la revendication colonisée est le fait de quelques-uns : des intellectuels ou des ambitieux, de la déception ou de l'intérêt personnel. Bel exemple de projection, soit dit en passant : explication d'autrui par l'intérêt, chez ceux qui ne sont motivés que par l'intérêt. Le refus colonisé est, en somme, assimilé à un phénomène de surface, alors qu'il découle de la nature même de la situation coloniale.

Le bourgeois souffre davantage du bilinguisme, il est vrai; l'intellectuel vit davantage le déchirement culturel. L'analphabète, lui, est simplement muré dans sa langue et remâche des bribes de culture orale. Ceux qui comprennent leur sort, il est vrai, deviennent impatients et ne supportent plus la colonisation. Mais ce sont les meilleurs, qui souffrent et qui refusent : et ils ne font que traduire le malheur commun. Sinon pourquoi sont-ils si vite entendus, si bien compris et obéis ?

Si l'on choisit de comprendre le fait colonial, il faut admettre qu'il est instable, que son équilibre est sans cesse menacé. On peut composer avec toutes les situations et le colonisé peut attendre longtemps de vivre. Mais plus ou moins vite, plus ou moins violemment, par tout le mouvement de sa personnalité opprimée, un jour il se met à refuser son existence invivable.

Les deux issues, historiquement possibles, sont alors essayées, successivement ou parallèlement. Il tente *soit de devenir autre, soit de reconquérir toutes ses dimensions,* dont l'a amputé la colonisation.

L'amour du colonisateur et la haine de soi

La première tentative du colonisé est de changer de condition en changeant de peau. Un modèle tentateur et tout proche s'offre et s'impose à lui : précisément celui du colonisateur. Celui-ci ne souffre d'aucune de ses carences, il a tous les droits, jouit de tous les biens et bénéficie de tous les prestiges; il dispose des richesses et des honneurs, de la technique et de l'autorité. Il est enfin l'autre terme de la comparaison, qui écrase le colonisé et le maintient dans la servitude. L'ambition première du colonisé sera d'égaler ce modèle prestigieux, de lui ressembler jusqu'à disparaître en lui.

De cette démarche, qui suppose en effet l'admiration du colonisateur, on a conclu à l'approbation de la colonisation. Mais par une dialectique évidente, au moment où le colonisé compose le plus avec son sort, il se refuse lui-même avec le plus de ténacité. C'est dire qu'il refuse, d'une autre manière, la situation coloniale. Le refus de soi et l'amour de l'autre sont communs à tout candidat à l'assimilation. Et les deux composantes de cette tentative de libération sont étroitement liées : l'amour du colonisateur est sous-tendu d'un complexe de sentiments qui vont de la honte à la haine de soi.

L'outrance dans cette soumission au modèle est déjà révélatrice. La femme blonde, fût-elle fade et quelconque de traits, paraît supérieure à toute brune. Un produit fabriqué par le colonisateur, une parole donnée par lui, sont reçus de confiance. Ses mœurs, ses vêtements, sa nourriture, son architecture, sont étroitement copiés, fussent-ils inadaptés. Le mariage mixte est le terme extrême de cet élan chez les plus audacieux.

Cet emportement vers les valeurs colonisatrices ne serait pas tant suspect, cependant, s'il ne comportait un tel envers. Le colonisé ne cherche pas seulement à s'enrichir des vertus du colonisateur. Au nom de ce qu'il souhaite devenir, il s'acharne à s'appauvrir, à s'arracher de lui-même. Nous retrouvons, sous une autre forme, un trait déjà signalé. L'écrasement du colonisé est compris dans les valeurs colonisatrices. Lorsque le colonisé adopte ces valeurs, il adopte en inclusion sa propre condamnation. Pour se libérer, du moins le croit-il, il accepte de se détruire. Le phénomène est comparable à la négrophobie du nègre, ou à l'antisémitisme du juif. Des négresses se désespèrent à se défriser les cheveux, qui refrisent toujours, et se torturent la peau pour la blanchir un peu. Beaucoup de juifs, s'ils le pouvaient, s'arracheraient l'âme; cette âme dont on leur dit qu'elle est mauvaise irrémédiablement. On a déclaré au colonisé que sa musique, c'est des miaulements de chat; sa peinture du sirop de sucre. Il répète que sa musique est vulgaire et sa peinture écœurante. Et si cette musique le remue tout de même, l'émeut plus que les subtils exercices occidentaux, qu'il trouve froids et compliqués, si cet unisson de couleurs chantantes et légèrement ivres lui réjouissent l'œil, c'est malgré sa volonté. Il s'en indigne contre lui-même, s'en cache aux yeux des étrangers, ou affirme des répugnances si fortes qu'elles en sont comiques. Les femmes de la bourgeoisie préfèrent le bijou médiocre en provenance d'Europe au joyau le plus pur de leur tradition. Et ce sont les touristes qui s'émerveillent devant les produits de l'artisanat séculaire. Enfin, nègre, juif ou colonisé, il faut ressembler du plus près au Blanc, au non-juif, au colonisateur. De même que beaucoup de gens évitent de promener leur parenté pauvre, le colonisé en mal d'assimilation cache son passé, ses traditions, toutes ses racines enfin, devenues infamantes.

Impossibilités de l'assimilation

Ces convulsions intérieures et ces contorsions auraient pu trouver leur fin. Au terme d'un long processus, douloureux, conflictuel certes, le colonisé se serait peut-être fondu au sein des colonisateurs. Il n'y a pas de problème dont l'usure de l'histoire ne puisse venir à bout. C'est affaire de temps et de générations. A condition toutefois qu'il ne contienne pas de données contradictoires. Or, *dans le cadre colonial, l'assimilation s'est révélée impossible.*

Le candidat à l'assimilation en arrive, presque toujours, à se lasser du prix exorbitant qu'il lui faut payer, et dont il n'a jamais fini de s'acquitter. Il découvre aussi avec effroi *tout* le sens de sa tentative. Le moment est dramatique où il comprend qu'il a repris à son compte les accusations et les condamnations du colonisateur; qu'il s'habitue à regarder les siens avec les yeux de leur procureur. Ils ne sont pas sans défauts, ni même sans reproches, certes. Il y a des fondements objectifs à son impatience contre eux et contre leurs valeurs; presque tout en eux est périmé, inefficace et dérisoire. Mais quoi! ce sont les siens, il en est, il n'a jamais cessé profondément d'en être! Ces rythmes en équilibre depuis des siècles, cette nourriture qui lui remplit si bien la bouche et l'estomac, ce sont encore les siens, c'est lui-même. Doit-il, toute sa vie, avoir honte de ce qui, en lui, est le plus réel? De ce qui, seul, n'est pas emprunté? Doit-il s'acharner à se nier, et d'ailleurs, le supportera-t-il toujours? Sa libération doit-elle, enfin, passer par une agression systématique contre soi?

L'impossibilité majeure n'est pas là, cependant. Bientôt il la découvre : consentirait-il à tout, il n'en serait pas sauvé. Pour s'assimiler, il ne suffit pas de donner congé à son groupe, il faut en pénétrer un autre : *or il rencontre le refus du colonisateur.*

A l'effort obstiné du colonisé de surmonter le mépris (que méritent son arriération, sa faiblesse, son altérité, il finit par l'admettre), à sa soumission admirative, son souci appliqué de se confondre avec le colonisateur, de s'habiller comme lui, de parler, de se conduire comme lui, jusque dans ses tics et sa manière de faire la cour, le colonisateur oppose un deuxième mépris : *la dérision*. Il déclare, il l'explique au colonisé, que ces efforts sont vains, qu'il n'y gagne qu'un trait supplémentaire : le ridicule. Car jamais il n'arrivera à s'identifier à lui, pas même à reproduire correctement son rôle. Au mieux, s'il ne veut pas trop blesser le colonisé, le colonisateur utilisera toute sa métaphysique caractérologique. Les génies des peuples sont incompatibles; chaque geste est sous-tendu par l'âme entière, etc. Plus brutalement, il dira que le colonisé n'est qu'un singe. Et plus le singe est subtil, plus il imite bien, plus le colonisateur s'irrite. Avec cette attention et ce flair aiguisé que développe la malveillance, il dépistera la nuance révélatrice, dans le vêtement ou le langage, la « faute de goût », qu'il finit toujours par découvrir. Un homme à cheval sur deux cultures est rarement bien assis, en effet, et le colonisé ne trouve pas toujours le *ton* juste.

Tout est mis en œuvre, enfin, pour que le colonisé ne puisse franchir le pas; qu'il comprenne et admette que cette voie est une impasse et l'assimilation impossible.

Ce qui rend bien vains les regrets des humanistes métropolitains, et injustes leurs reproches à l'adresse du colonisé. Comment ose-t-il refuser, s'étonnent-ils, cette synthèse généreuse où, murmurent-ils, il ne peut que gagner? *C'est le colonisé qui, le premier, souhaite l'assimilation, et c'est le colonisateur qui la lui refuse.*

Aujourd'hui que la colonisation touche à sa fin, de tardives bonnes volontés se demandent si l'assimilation n'a pas été la grande occasion manquée des colonisateurs et des métropoles. Ah! si nous l'avions voulu! Voyez-vous, rêvent-ils, une France de cent millions de Français? Il n'est pas interdit, il est souvent consolant de réimaginer l'histoire. A condition de lui découvrir un autre sens, une autre cohérence cachée. L'assimilation pouvait-elle réussir ?

Elle l'aurait pu, peut-être, à d'autres moments de l'histoire du monde. Dans les conditions de la colonisation contemporaine, il semble que non. Peut-être est-ce un malheur historique, peut-être devons-nous le déplorer tous ensemble. Mais non seulement elle a échoué, mais encore elle a paru impossible à tous les intéressés.

En définitive, son échec ne tient pas aux seuls préjugés du colonisateur, pas plus qu'aux retards du colonisé. L'assimilation, manquée ou réalisée, n'est pas affaire de bons sentiments ou de seule psychologie. Une série assez longue d'heureuses conjonctures peut changer le sort d'un individu. Quelques colonisés ont pratiquement réussi à disparaître dans le groupe colonisateur. Il est clair, par contre, qu'un drame collectif ne sera jamais épuisé à coups de solutions individuelles. L'individu disparaît dans sa descendance et le drame du groupe continue. Pour que l'assimilation colonisée ait une portée et un sens, il faudrait qu'elle atteigne un peuple tout entier, c'est-à-dire que soit modifiée *toute la condition coloniale*. Or, nous l'avons assez montré, la condition coloniale ne peut être changée que par la *suppression de la relation coloniale*

Nous retrouvons le rapport fondamental qui unit nos deux portraits, dynamiquement engrenés l'un sur l'autre. Nous vérifions une fois de plus qu'il est vain de prétendre agir sur l'un ou l'autre, sans agir sur ce rapport, donc sur la colonisation. Dire que le colonisateur pourrait ou devrait accepter de bonne grâce l'assimilation, donc l'émancipation du colonisé, *c'est escamoter la relation coloniale.* Ou sous-entendre qu'il puisse procéder de lui-même à un bouleversement total de son état : à la condamnation des privilèges coloniaux, des droits exorbitants des colons et des industriels, à payer humainement la main-d'œuvre colonisée, à la promotion juridique, administrative et politique des colonisés, à l'industrialisation de la colonie... En somme à la fin de la colonie comme colonie, à la fin de la métropole comme métropole. Tout simplement, on convie le colonisateur à en finir avec lui-même.

Dans les conditions contemporaines de la colonisation, *assimilation et colonisation sont contradictoires.*

La révolte...

Que reste-t-il alors à faire au colonisé ? Ne pouvant quitter sa condition dans l'accord et la communion avec le colonisateur, il essaiera de se libérer contre lui : il va se révolter.

Loin de s'étonner des révoltes colonisées, on peut être surpris, au contraire, qu'elles ne soient pas plus fréquentes et plus violentes. En vérité, le colonisateur y veille : stérilisation continue des élites, destruction périodique de celles qui arrivent malgré tout à surgir, par corruption ou oppression policière ; avortement par provocation de tout mouvement populaire et son écrasement brutal et rapide. Nous avons noté aussi l'hésitation du colonisé lui-même, l'insuffisance et l'ambiguïté d'une agressivité de vaincu qui, malgré soi, admire son vainqueur, l'espoir longtemps tenace que la toute-puissance du colonisateur accoucherait d'une toute-bonté.

Mais la révolte est la seule issue à la situation coloniale, qui ne soit pas un trompe-l'œil, et le colonisé le découvre tôt ou tard. Sa condition est absolue et réclame une solution absolue, une rupture et non un compromis. Il a été arraché de son passé et stoppé dans son avenir, ses traditions agonisent et il perd l'espoir d'acquérir une nouvelle culture, il n'a ni langue, ni drapeau, ni technique, ni existence nationale ni internationale, ni droits, ni devoirs : *il ne possède rien, n'est plus rien et n'espère plus rien.* De plus, la solution est tous les jours plus urgente, tous les jours nécessairement plus radicale. Le mécanisme de néantisation du colonisé, mis en marche par le colonisateur, ne peut que s'aggraver tous les jours. Plus l'oppression augmente, plus le colonisateur a besoin de justification, plus il doit avilir le colonisé, plus il se sent coupable, plus il doit se justifier, etc. Comment en sortir sinon par la *rupture,* l'éclatement, tous les jours plus explosif, de ce *cercle* infernal ? La situation coloniale, par sa propre fatalité intérieure, appelle la révolte. Car la condition coloniale ne peut être *aménagée;* tel un carcan, elle ne peut qu'être brisée.

... et le refus du colonisateur

On assiste alors à un renversement des termes. L'assimilation abandonnée, la libération du colonisé doit s'effectuer par la reconquête de soi et d'une dignité autonome. L'élan vers le colonisateur exigeait, à la limite, le refus de soi; le refus du colonisateur sera le prélude indispensable à la reprise de soi. Il faut se débarrasser de cette image accusatrice et annihilante; il faut s'attaquer de front à l'oppression, puisqu'il est impossible de la contourner. Après avoir été si longtemps refusé par le colonisateur, le jour est venu où c'est le colonisé qui refuse le colonisateur.

Ce renversement, cependant, n'est pas absolu. Il n'y a pas une volonté sans réserve d'assimilation, puis un rejet total du modèle. Au plus fort de sa révolte, le colonisé conserve les emprunts et les leçons d'une si longue cohabitation. Comme le sourire ou les habitudes musculaires d'une vieille épouse, même en instance de divorce, rappellent curieusement ceux du mari. D'où le paradoxe (cité comme la preuve décisive de son ingratitude) : le colonisé revendique et se bat au nom des valeurs mêmes du colonisateur, utilise ses techniques de pensée et ses méthodes de combat. (Il faut ajouter que c'est le seul langage que comprenne le colonisateur.)

Mais, dorénavant, le colonisateur est devenu surtout négativité, alors qu'il était plutôt positivité. Surtout, il est *décidé* négativité par toute l'attitude active du colonisé. A tout instant il est remis en question, dans sa culture et dans sa vie, et avec lui, tout ce qu'il représente, métropole comprise, bien entendu. Il est soupçonné, contré, combattu dans le moindre de ses actes. Le colonisé se met à préférer avec rage et ostentation les voitures allemandes, les radios italiennes et les réfrigérateurs américains; il se privera de tabac, s'il porte l'estampille colonisatrice. Moyens de pression et punition économiques certes, mais, au moins autant, rites sacrificiels de la colonisation. Jusqu'aux jours atroces où la fureur du colonisateur ou l'exaspération du colonisé, culminant en haine, se déchargent en folies sanguinaires. Puis recommence l'existence quotidienne, un peu plus dramatisée, un peu plus irrémédiablement contradictoire.

C'est dans ce contexte que doit être replacée la xénophobie, et même un certain racisme du colonisé.

Considéré en bloc comme *eux*, *ils* ou *les autres*, à tous les points de vue différent, homogénéisé dans une radicale hétérogénéité, le colonisé réagit en refusant en bloc tous les colonisateurs. Et même, quelquefois, tous ceux qui leur ressemblent, tout ce qui n'est pas, comme lui, opprimé. La distinction entre le fait et l'intention n'a pas grande signification dans la situation coloniale. *Pour le colonisé, tous les Européens des colonies sont des colonisateurs de fait.* Et qu'ils le veuillent ou non, ils le sont par quelque côté : par leur situation économique de privilégiés, par leur appartenance au système politique de l'oppression, par leur participation à un complexe affectif négateur du colonisé. D'autre part, à la limite, les Européens d'Europe sont des colonisateurs en puissance : il leur suffirait de débarquer. Peut-être même tirent-ils quelque profit de la colonisation. Ils sont solidaires, ou pour le moins complices inconscients, de cette grande agression collective de l'Europe. De tout leur poids, intentionnellement ou non, ils contribuent à perpétuer l'oppression coloniale. Enfin, si la xénophobie et le racisme consistent à charger globalement tout un groupe humain, à condamner *a priori* n'importe quel individu de ce groupe, lui prêtant un être et un comportement irrémédiablement fixe et nocif, le colonisé est, en effet, xénophobe et raciste; il l'est devenu.

Tout racisme et toute xénophobie sont des mystifications de soi-même et des agressions absurdes et injustes des autres. Y compris ceux du colonisé. A plus forte raison, lorsqu'ils s'étendent au-delà des colonisateurs, à tout ce qui n'est pas rigoureusement colonisé; lorsqu'ils se laissent aller, par exemple, à se réjouir des malheurs d'un autre groupement humain, simplement parce qu'il n'est pas esclave. Mais il faut noter, en même temps, que le racisme du colonisé est le résultat d'une mystification plus générale : la mystification colonialiste.

Considéré et traité séparément par le racisme colonialiste, le colonisé finit par s'accepter séparé; par accepter cette division manichéiste de la colonie et par extension du monde entier. Définitivement exclu d'une moitié de l'univers, comment ne la soupçonnerait-il pas d'entériner sa condamnation? Comment ne la jugerait-il pas et ne la condamnerait-il pas à son tour? Le racisme colonisé n'est en somme ni biologique ni métaphysique, mais social et historique. Il n'est pas basé sur la croyance à l'infériorité du groupe détesté, mais sur la conviction, et dans une grande mesure sur un constat, qu'il est définitivement agresseur et nuisible. Plus encore, si le racisme européen moderne déteste et méprise plus qu'il ne craint, celui du colonisé craint et continue d'admirer. Bref, ce n'est pas un racisme d'agression, mais de défense.

De sorte qu'il devrait être relativement aisé de le désarmer. Les quelques voix européennes qui se sont élevées ces dernières années pour nier cette exclusion, cette radicale inhumanité du colonisé, ont plus fait que toutes les bonnes œuvres et toute la philanthropie, où la ségrégation restait sous-jacente. C'est pourquoi, on peut soutenir cette apparente énormité : si la xénophobie et le racisme du colonisé contiennent, assurément, un immense ressentiment et une évidente négativité, ils peuvent être le prélude d'un mouvement positif : la reprise en main du colonisé par lui-même.

L'affirmation de soi

Mais, au départ, la revendication colonisée prend cette figure différentielle et repliée sur soi : elle est étroitement délimitée, conditionnée par la situation coloniale et les exigences du colonisateur.

Le colonisé s'accepte et s'affirme, se revendique avec passion. Mais qui est-il ? Sûrement pas l'homme en général, porteur des valeurs universelles, communes à tous les hommes. Précisément, il a été exclu de cette universalité, sur le plan du verbe comme en fait. Au contraire, on a recherché, durci jusqu'à la substantification ce qui le différencie des autres hommes. On lui a démontré avec orgueil qu'il ne pourrait jamais s'assimiler les autres ; on l'a repoussé avec mépris vers ce qui, en lui, serait inassimilable par les autres. Eh bien ! soit. Il est, il sera cet homme-là. La même passion qui lui faisait admirer et absorber l'Europe, lui fera affirmer ses différences ; puisque ces différences, enfin, le constituent, constituent proprement son essence.

Alors le jeune intellectuel qui avait rompu avec la religion, du moins intérieurement, et mangeait pendant le Ramadan, se met à jeûner avec ostentation. Lui, qui considérait les rites comme d'inévitables corvées familiales, les réintroduit dans sa vie sociale, leur donne une place dans sa conception du monde. Pour mieux les utiliser, il réexplique les messages oubliés, les adapte aux exigences actuelles. Il découvre d'ailleurs que le fait religieux n'est pas seulement une tentative de communication avec l'invisible, mais un extraordinaire lieu de communication pour le groupe entier. Le colonisé, ses chefs et ses intellectuels, ses traditionalistes et ses libéraux, toutes les classes sociales, peuvent s'y retrouver, s'y ressouder, vérifier et recréer leur unité. Le risque est considérable, certes, que le moyen ne devienne fin. Accordant une telle attention aux vieux mythes, les rajeunissant, il les revivifie dangereusement. Ils en retrouvent une force inattendue qui les fait s'échapper aux desseins limités des chefs colonisés. On assiste à un renouveau religieux véritable. Il arrive même que l'apprenti sorcier, intellectuel ou bourgeois libéral, à qui le laïcisme semblait la condition de tout progrès intellectuel et social, reprenne goût à ces traditions dédaignées, que sa machine ployée...

Tout cela, d'ailleurs, qui paraît si important aux yeux de l'observateur extérieur, qui l'est peut-être pour la santé générale du peuple, est au fond secondaire pour le colonisé. Dorénavant, il a découvert le principe moteur de son action, qui ordonne et valorise tout le reste : il s'agit d'affirmer son peuple et de s'affirmer solidaire avec lui. Or sa religion est d'évidence un des éléments constituants de ce peuple. A Bandoeng, à l'étonnement gêné des gens de gauche du monde entier, l'un des deux principes fondamentaux de la conférence fut la religion.

De même, le colonisé ne connaissait plus sa langue que sous la forme d'un parler indigent. Pour sortir du quotidien et de l'affectif les plus élémentaires, il était obligé de s'adresser à la langue du colonisateur. Revenant à un destin autonome et séparé, il retourne aussitôt à sa propre langue. On lui fait remarquer ironiquement que son vocabulaire est limité, sa syntaxe abâtardie, qu'il serait risible d'y entendre un cours de mathématiques supérieures ou de philosophie. Même le colonisateur de gauche s'étonne de cette impatience, de cet inutile défi, finalement plus coûteux au colonisé qu'au colonisateur. Pourquoi ne pas continuer à utiliser les langues occidentales pour décrire les moteurs ou enseigner l'abstrait ?

Là encore, pour le colonisé, il existe dorénavant d'autres urgences que les mathématiques et la philosophie et même que la technique. Il faut redonner, à ce mouvement de redécouverte de soi de tout un peuple, l'outil le plus approprié, celui qui trouve le plus court chemin de son âme, parce qu'il en vient directement. Et ce chemin, oui, est celui des mots d'amour et de tendresse, de la colère et de l'indignation, des mots qu'emploie le potier parlant à ses pots et le cordonnier à ses semelles. Plus tard l'enseignement, plus tard les belles lettres et les sciences. Ce peuple a suffisamment appris à attendre... Est-il bien sûr, d'ailleurs, que ce langage, aujourd'hui balbutiant, ne puisse s'ouvrir et s'enrichir ? Déjà, grâce à lui, il découvre des trésors oubliés, il entrevoit une possible continuité avec un passé non négligeable... Allons, plus d'hésitation ni de demi-mesures! Au contraire, il faut savoir rompre, il faut savoir foncer devant soi. Il choisira même la plus grande difficulté. Il ira jusqu'à s'interdire les commodités supplémentaires de la langue colonisatrice; il la remplacera aussi souvent et aussi vite qu'il pourra. Entre le parler populaire et la langue savante, il préférera la savante, risquant dans son élan de rendre plus malaisée la communication recherchée. L'important est maintenant de reconstruire son peuple, quelle qu'en soit la nature authentique, de refaire son unité, de communiquer avec lui et de se sentir lui appartenant.

Quel qu'en soit le prix payé par le colonisé, et contre les autres, s'il le faut. Ainsi, il sera nationaliste et non, bien entendu, internationaliste. Bien sûr, ce faisant, il risque de verser dans l'exclusivisme et le chauvinisme, de s'en tenir au plus étroit, d'opposer la solidarité nationale à la solidarité humaine, et même la solidarité ethnique à la solidarité nationale. Mais attendre du colonisé, qui a tant souffert de ne pas exister par soi, qu'il soit ouvert au monde, humaniste et internationaliste, paraît d'une étourderie comique. Alors qu'il en est encore à se ressaisir, à se regarder avec étonnement, qu'il revendique passionnément sa langue... dans celle du colonisateur.

Il est remarquable d'ailleurs qu'il sera d'autant plus ardent dans son affirmation, qu'il a été plus loin vers le colonisateur. Est-ce une coïncidence si tant de chefs colonisés ont contracté des mariages mixtes ? Si le leader tunisien Bourguiba, les deux leaders algériens Messali Hadj et Ferhat Abbas, si plusieurs autres nationalistes, qui ont voué leur vie à guider les leurs, ont épousé parmi les colonisateurs ? Ayant poussé l'expérience du colonisateur jusqu'à ses limites vécues, jusqu'à la trouver invivable, ils se sont repliés sur leurs bases. Celui qui n'a jamais quitté son pays et les siens ne saura jamais à quel point il leur est attaché. Eux savent, maintenant, que leur salut coïncide avec celui de leur peuple, qu'ils doivent se tenir au plus près de lui et de ses traditions. Il n'est pas interdit d'ajouter le besoin de se justifier, de se racheter par une soumission complète.

Les ambiguïtés de l'affirmation de soi

On voit, en même temps que sa nécessité, les ambiguïtés de cette reprise de soi. Si la révolte du colonisé est en elle-même une attitude claire, son contenu peut être troublé : c'est qu'elle est le résultat immédiat d'une situation peu limpide : la situation coloniale.

1. Relevant le défi de l'exclusion, le colonisé s'accepte comme séparé et différent, mais son *originalité est celle délimitée, définie par le colonisateur.*

Donc il est religion et tradition, inaptitude à la technique, d'une essence particulière dite orientale, etc. Oui, c'est bien cela, il en convient. Un auteur noir s'est évertué à nous expliquer que la *nature* des Noirs, les siens, n'est pas compatible avec la civilisation mécanicienne. Il en tirait une curieuse fierté. En somme, provisoirement sans doute, le colonisé admet qu'il a cette figure de lui-même, proposée, imposée par le colonisateur. Il se reprend, mais *il continue à souscrire à la mystification colonisatrice.*

Certes, il n'y est pas amené par un pur processus idéologique; il n'est pas seulement *défini* par le colonisateur, sa situation est *faite* par la colonisation. Il est patent qu'il refait sien un peuple carencé, dans son corps et son esprit, dans son tonus. Il revient à une histoire peu glorieuse et mangée de trous effrayants, à une culture moribonde, qu'il avait pensé abandonner, à des traditions gelées, à une langue rouillée. L'héritage, qu'il finit par accepter, est lourd d'un passif décourageant pour quiconque. Il doit avaliser les billets et les créances, or les créances sont nombreuses et importantes. C'est un fait, d'autre part, que les institutions de la colonie ne fonctionnent pas directement pour lui. Le système éducatif ne s'adresse à lui que par ricochet. Les routes ne lui sont ouvertes que parce qu'elles sont pures offrandes.

Mais il lui semble nécessaire, pour aller jusqu'au bout de sa révolte, d'accepter ces interdictions et ces amputations. Il s'interdira l'usage de la langue colonisatrice, même si toutes les serrures du pays fonctionnent sur cette clef; il changera les panneaux et les bornes kilométriques, même s'il en est le premier embarrassé. Il préférera une longue période d'errements pédagogiques plutôt que de laisser en place les cadres scolaires du colonisateur. Il choisira le désordre institutionnel pour détruire au plus vite les institutions bâties par le colonisateur. C'est là, certes, une poussée réactionnelle, de profonde protestation. Ainsi il ne devra plus rien au colonisateur, il aura définitivement brisé avec lui. Mais c'est aussi la conviction confuse, et mystificatrice, que tout cela *appartient au colonisateur*, et *n'est pas adéquat au colonisé* : c'est bien ce que le colonisateur lui a toujours affirmé. En bref, le colonisé en révolte commence par *s'accepter et se vouloir comme négativité.*

2. Cette négativité, devenant un élément essentiel de sa reprise de soi et de son combat, il va l'affirmer, la glorifier jusqu'à l'absolu. Non seulement il accepte ses rides et ses plaies, mais il va les proclamer belles. S'assurant de lui-même, se proposant au monde tel qu'il est dorénavant, il peut difficilement proposer en même temps sa propre critique. S'il sait rejeter avec violence le colonisateur et la colonisation, il ne fait pas le départ de ce qu'il est véritablement et de ce qu'il a désastreusement acquis au cours de la colonisation. Il se propose tout entier, il se confirme globalement, c'est-à-dire ce colonisé qu'il est tout de même devenu. Du coup, exactement à l'inverse de l'accusation colonialiste, le colonisé, sa culture, son pays, tout ce qui lui appartient, tout ce qui le représente, deviennent *parfaite positivité.*

En définitive, nous allons nous trouver en face d'une *contre-mythologie.* Au mythe négatif imposé par le colonisateur succède un *mythe positif* de lui-même, proposé par le colonisé. Comme il existe, semble-t-il, un mythe positif du prolétaire opposé à son négatif. A entendre le colonisé, et souvent ses amis, tout est bon, tout est à garder, dans ses mœurs et ses traditions, ses actes et ses projets; même l'anachronique ou le désordonné, l'immoral ou l'erreur. Tout se justifie puisque tout s'explique.

L'affirmation de soi du colonisé, née d'une protestation, continue à se définir par rapport à elle. *En pleine révolte, le colonisé continue à penser, sentir et vivre contre et donc par rapport au colonisateur et à la colonisation.*

3. Tout cela, le colonisé le pressent, le révèle dans sa conduite, l'avoue quelquefois. Se rendant compte que ses attitudes sont essentiellement réactionnelles, il est atteint de la plupart des troubles de la mauvaise foi.

Non certain de lui-même, il se confie à l'ivresse de la fureur et de la violence. Non certain de la nécessité de ce retour au passé, il le réaffirme agressivement. Non certain de pouvoir en convaincre les autres, il les provoque. A la fois provocant et susceptible, dorénavant il étale ses différences, refuse de se laisser oublier comme tel, et s'indigne quand on y fait allusion. Systématiquement méfiant, il suppose à son interlocuteur des intentions hostiles, les tenant pour cachées si elles ne sont pas exprimées et réagit en fonction. Il exige des meilleurs de ses amis une approbation sans limite, même de ce dont il doute et que lui-même condamne. Si longtemps frustré par l'histoire, il réclame d'autant plus impérieusement qu'il reste toujours inquiet. Ne sachant plus ce qu'il se doit à lui-même et ce qu'il peut demander, ce que les autres lui doivent véritablement et ce qu'il doit payer en retour; la mesure exacte enfin de tout commerce humain. Compliquant et gâchant, *a priori*, ses relations humaines, déjà rendues si difficiles par l'histoire. « Ah! ils sont malades! écrivait un autre auteur noir, ils sont tous malades! »

Le décalage d'avec soi

Tel est le drame de l'homme-produit et victime de la colonisation : il n'arrive presque jamais à coïncider avec lui-même.

La peinture colonisée, par exemple, balance entre deux

pôles : d'une soumission à l'Europe, excessive jusqu'à l'impersonnalité, elle passe à un retour à soi tellement violent qu'il est nocif et esthétiquement illusoire. En fait l'adéquation n'est pas trouvée, la remise en question de soi continue. Pendant comme avant la révolte, le colonisé ne cesse de tenir compte du colonisateur, modèle ou antithèse. Il continue à se débattre contre lui. Il était déchiré entre ce qu'il était et ce qu'il s'était voulu, le voilà déchiré entre ce qu'il s'était voulu et ce que, maintenant, il se fait. Mais persiste le douloureux décalage d'avec soi.

Pour voir la guérison complète du colonisé, il faut que cesse totalement son aliénation : il faut attendre la disparition *complète* de la colonisation, c'est-à-dire période de révolte comprise.

CONCLUSION

Je sais bien que le lecteur attend maintenant des solutions; après le diagnostic, il exige des remèdes. En vérité tel n'était pas mon propos initial et ce livre devait s'arrêter là. Je ne l'avais pas conçu comme une œuvre de combat ni même comme une recherche de solutions : il est né d'une réflexion sur un échec accepté.

Pour beaucoup d'entre nous, qui refusions le visage de l'Europe en colonie, il ne s'agissait nullement de refuser l'Europe tout entière. Nous souhaitions seulement qu'elle reconnaisse nos droits, comme nous étions prêts à accepter nos devoirs, comme le plus souvent nous avions déjà payé. Nous souhaitions, en somme, un simple *aménagement* de notre situation et de nos relations avec l'Europe. A notre étonnement douloureux, nous avons découvert lentement, constaté qu'un tel espoir était illusoire. J'ai voulu comprendre et expliquer pourquoi. Mon dessein premier n'était que de reproduire, *complètement et en vérité*, les portraits des deux protagonistes du drame colonial, et la relation qui les unit.

On n'avait jamais montré, me semblait-il, la *cohérence* et la *genèse* de chaque rôle, la genèse de l'un par l'autre et la cohérence de la *relation coloniale*, la genèse de la relation coloniale à partir de la *situation coloniale.*

Puis, chemin faisant, me sont apparus du même coup *la nécessité* de cette relation, la nécessité de ses développements, les visages nécessaires qu'elle imprimait au colonisateur et au colonisé. En somme, la lecture complète et attentive de ces deux portraits et de cette situation m'a obligé à cette conclusion : *cet aménagement ne pouvait avoir lieu parce qu'il était impossible.* La colonisation contemporaine portait en elle-même sa propre contradiction, qui tôt ou tard devait la faire mourir.

Qu'on m'entende bien : il ne s'agit nullement là d'un *vœu* mais d'un *constat.* La confusion de ces deux concepts me paraît bien trop fréquente aujourd'hui, et des plus pernicieuses. Elle sépare pourtant radicalement toute pensée sérieuse et objective des projections sentimentales ou des truquages démagogiques, auxquels se livrent trop couramment les politiciens, sans trop s'en rendre compte, disons-le à leur décharge. Bien sûr, il n'y a pas de fatalisme en politique : on peut souvent rectifier une situation. Mais dans la mesure, précisément, où le vœu ne dépasse pas les exigences du constat objectif. Or ce qui apparaît au terme de cet itinéraire – si ces deux portraits sont conformes à la vérité de leurs modèles – c'est qu'il est impossible que la situation coloniale perdure, parce qu'il est impossible qu'elle soit aménagée.

Il se fait simplement que tout dévoilement est, en définitive, efficace ; que toute vérité est en définitive utile et positive ; ne serait-ce que parce qu'elle supprime des illusions. Ce qui est évident ici, lorsqu'on pense aux efforts désespérés de l'Europe, si coûteux pour elle comme pour les colonisés, pour sauver la colonisation.

Puis-je ajouter, cependant, que ce dévoilement effectué, admise la cruauté de la vérité, les relations de l'Europe avec ses anciennes colonies doivent être reconsidérées ? Que les cadres coloniaux abandonnés, il est important pour nous tous que nous découvrions une manière neuve de vivre ces relations ? Je suis de ceux pour qui, retrouver un nouvel ordre avec l'Europe, c'est remettre de l'ordre en eux-mêmes.

Cela dit, je continue à souhaiter que le lecteur distingue ce *bilan* humain de la colonisation des *leçons* qu'il me semble possible d'en tirer. Je sais que j'aurai souvent à réclamer que l'on me lise avant de me réfuter. Je souhaite un effort supplémentaire : qu'opposé *a priori* aux enseignements de cette investigation, on ne se refuse pas à cette précaution méthodologique mais salutaire. On verra, après, s'il y a lieu d'admettre la nécessité des conclusions suivantes :

1. Il apparaît, en définitive, que le colonisateur est une maladie de l'Européen, dont il doit être *complètement* guéri et préservé. Et certes il y a un drame du colonisateur, qu'il serait absurde et injuste de sous-estimer. Car sa guérison suppose une thérapeutique difficile et douloureuse, un arrachement et une refonte de ses conditions actuelles d'existence. Mais on n'a pas vu assez qu'il y a drame aussi, plus grave encore, la colonisation continuant.

La colonisation ne pouvait que défigurer le colonisateur. Elle le plaçait devant une alternative aux issues également désastreuses : entre l'injustice quotidienne acceptée à son profit ou le sacrifice de soi nécessaire et jamais consommé. Telle est la situation du colonisateur que, s'il l'accepte, il en pourrit, s'il la refuse, il se nie.

Le rôle du colonisateur de gauche est insoutenable longtemps, invivable; il ne peut être que de mauvaise conscience et de déchirement, et finalement de mauvaise foi s'il se perpétue. Toujours au bord de la tentation et de la honte, et en définitive coupable. L'analyse de la situation coloniale par le colonialiste, sa conduite qui en découle, sont plus cohérentes, et peut-être plus lucides : *or lui, précisément, a toujours agi comme si un aménagement était impossible.* Ayant compris que toute concession le menaçait, il confirme et défend absolument le fait colonial. Mais quels privilèges, quels avantages matériels méritent que l'on perde son âme ? En bref, si l'aventure coloniale est gravement dommageable pour le colonisé, elle ne peut être que sérieusement déficitaire pour le colonisateur.

Bien entendu, on ne s'est pas fait faute d'imaginer, à l'intérieur du système colonial, des transformations qui conserveraient au colonisateur les avantages acquis, tout en le préservant de ses conséquences désastreuses. On oublie seulement que la nature de la relation coloniale découle immédiatement de ces avantages. Autrement dit : ou la situation coloniale subsiste et ses effets continuent; ou elle disparaît et la relation coloniale et le colonisateur disparaissent avec elle. Ainsi, pour deux propositions, l'une radicale dans le mal, l'autre radicale dans le bien, du moins le croit-on : l'extermination du colonisé ou son assimilation.

Il n'y a pas si longtemps que l'Europe a abandonné l'idée de la possibilité d'une extermination totale d'un groupe colonisé. Une boutade, mi-sérieuse mi-plaisante, comme toutes les boutades, affirmait au sujet de l'Algérie : « Il n'y a que neuf Algériens pour un Français... il suffirait de donner à chaque Français un fusil et neuf balles. » On évoque aussi l'exemple américain. Et c'est vrai que la fameuse épopée nationale du Far West ressemble beaucoup à un massacre systématique. Mais aussi bien : il n'y a plus de problème peau-rouge aux États-Unis. L'extermination sauve si peu la colonisation que c'en est même exactement le contraire. La colonisation, c'est d'abord une exploitation économico-politique. Si l'on supprime le colonisé, la colonie deviendra un pays quelconque, j'entends bien, mais qui exploitera-t-on? *Avec le colonisé disparaîtrait la colonisation, colonisateur compris.*

Quant à l'échec de l'assimilation, je ne m'en fais pas une joie particulière. D'autant que cette solution possède un parfum universaliste et socialiste qui la rend *a priori* respectable. Je ne dis même pas qu'elle est impossible en soi et par définition; elle a quelquefois réussi historiquement, comme elle a souvent échoué. Mais il est clair que personne ne l'a désirée expressément dans la colonisation contemporaine, pas même les communistes. Je me suis assez expliqué là-dessus. Au surplus, et voici l'essentiel : *l'assimilation est encore le contraire de la colonisation*; puisqu'elle tend à confondre colonisateurs et colonisés, donc à supprimer les privilèges, donc la relation coloniale.

Je passe sur les pseudo-solutions mineures. Par exemple rester dans la colonie devenue indépendante, donc comme étrangers mais avec des droits spéciaux. Qui ne voit, outre l'incohérence juridique de telles constructions, que tout cela est destiné à être limé par l'histoire? On ne voit guère pourquoi le souvenir d'injustes privilèges suffirait à en garantir la pérennité.

Enfin, dans le cadre de la colonisation, il n'y a pas de salut, semble-t-il, pour le colonisateur.

Raison de plus, dira-t-on, pour qu'il s'accroche, pour qu'il refuse tout changement : il peut en effet s'accepter comme monstre, accepter son aliénation par ses propres intérêts. Mais non, même pas. S'il refuse de quitter sa profitable maladie, il y sera tôt ou tard contraint par l'histoire. Car, ne l'oublions pas, il existe une autre face au diptyque : un jour il y sera contraint par le colonisé.

2. Un jour vient nécessairement où le colonisé relève la tête et fait basculer l'équilibre toujours instable de la colonisation.

Car, également pour le colonisé, il n'y a pas d'autre issue que la fin achevée de la colonisation. Et le refus du colonisé ne peut qu'être *absolu*, c'est-à-dire non seulement *révolte*, mais dépassement de la révolte, c'est-à-dire *révolution*.

Révolte : la simple existence du colonisateur crée l'oppression et seule la liquidation complète de la colonisation permet la libération du colonisé. On a beaucoup espéré des réformes, ces derniers temps, du bourguibisme, par exemple. Il me semble qu'il y a équivoque. Le bourguibisme, s'il signifie procéder par étapes, n'a jamais signifié se contenter d'une étape quelle qu'elle soit. Les chefs noirs parlent actuellement d'Union Française. Ce n'est encore qu'une étape sur la voie de l'indépendance complète, et d'ailleurs inévitable. Bourguiba croirait-il à ce bourguibisme qu'on veut lui prêter, les chefs de l'Afrique Noire croiraient-ils à une définitive Union Française, que le processus de liquidation de la colonisation les laisserait en route. Déjà les moins de trente ans ne comprennent plus la relative modération de leurs aînés.

Révolution : on a noté que la colonisation tuait matériellement le colonisé. Il faut ajouter qu'elle le tue spirituellement. La colonisation fausse les rapports humains, détruit ou sclérose les institutions, et corrompt les hommes, colonisateurs et colonisés. Pour vivre, le colonisé a besoin de supprimer la colonisation. Mais pour devenir un homme, il doit supprimer le colonisé qu'il est devenu. Si l'Européen doit annihiler en lui le colonisateur, le colonisé doit dépasser le colonisé.

La liquidation de la colonisation n'est qu'un prélude à sa libération complète : à la reconquête de soi. Pour se libérer de la colonisation, il lui a fallu partir de son oppression même, des carences de son groupe. Pour que sa libération soit complète, il faut qu'il se libère de ses conditions, certes inévitables de sa lutte. Nationaliste, parce qu'il devait lutter pour l'émergence et la dignité de sa nation, il faudra qu'il se conquière libre vis-à-vis de cette nation. Bien entendu, il pourra se confirmer nationaliste. Mais il est indispensable qu'il soit libre de ce choix et non qu'il n'existe que par sa nation. Il faudra qu'il se conquière libre vis-à-vis de la religion de son groupe, qu'il pourra garder ou rejeter, mais il doit cesser de n'exister que par elle. Ainsi pour le passé, la tradition, l'ethnicité, etc. En bref, il doit cesser de se définir par les catégories colonisatrices. De même, pour ce qui le caractérise négativement. La fameuse et absurde opposition Orient-Occident, par exemple; cette antithèse durcie par le colonisateur, qui instaurait ainsi une barrière définitive entre lui et le colonisé. Que signifie donc le retour à l'Orient ? Si l'oppression a pris la figure de l'Angleterre ou de la France, les acquisitions culturelles et techniques appartiennent à tous les peuples. La science n'est ni occidentale ni orientale, pas plus qu'elle n'est bourgeoise ni prolétarienne. Il n'y a que deux manières de couler le béton, la bonne et la mauvaise.

Que deviendra-t-il alors ? Qu'est donc, en vérité, le colonisé ?

Je ne crois ni à l'essence métaphysique, ni à l'essence caractérologique. Actuellement, on peut décrire le colonisé ; j'ai essayé de montrer qu'il souffre, juge et se conduit d'une certaine manière. S'il cesse d'être cet être d'oppression et de carences, extérieures et intérieures, il cessera d'être un colonisé, il deviendra *autre*. Il existe évidemment des permanences géographiques et de traditions. Mais, peut-être alors, il y aura moins de différences entre un Algérien et un Marseillais, qu'entre un Algérien et un Yéménite.

Toutes ses dimensions reconquises, l'ex-colonisé sera devenu un homme comme les autres. Avec tout l'heur et le malheur des hommes, bien sûr, mais enfin il sera un homme libre.

Tunis, Paris, 1955-1956.

PORTRAIT DU COLONISATEUR

PORTRAIT DU COLONISÉ

Œuvres d'Albert Memmi (suite).

LE RACISME (analyse, définition, traitement), *Gallimard*, 1982.

CE QUE JE CROIS, *Grasset*, 1985.

L'ÉCRITURE COLORÉE OU JE VOUS AIME EN ROUGE, *Éditions Périple*, 1986.

BONHEURS, *Arléa*, 1992.

À CONTRE-COURANTS, *Le Nouvel Objet*, 1993.

AH, QUEL BONHEUR !, *Arléa*, 1995.

Divers ouvrages, dont :

ANTHOLOGIE DES LITTÉRATURES MAGHRÉBINES, Présence africaine :

Tome I : Les Écrivains maghrébins d'expression française, 1964.
Tome II : Les Écrivains français du Maghreb, 1969.

LES FRANÇAIS ET LE RACISME (en collaboration), *Payot*, 1965.

JUIFS ET ARABES, *Gallimard*, 1974.

ÉCRIVAINS FRANCOPHONES DU MAGHREB, *Laffont*, 1985.

NOUVELLES ET POÈMES dans différentes revues (*N.R.F.*, *Traces*, *L'Arche*, *Midstream*, etc.).

LE ROMAN MAGHRÉBIN, *Fernand Nathan*, 1987.

Livres de poche :

LA STATUE DE SEL, *Gallimard*, *Folio*, n° 206, 1972.

AGAR, *Gallimard*, *Folio*, n° 1584, 1991.

LE SCORPION, *Gallimard*, *Folio*, n° 1715, 1986.

PORTRAIT DU COLONISÉ, *Petite Bibliothèque Payot*, 1973.

PORTRAIT D'UN JUIF, *Gallimard*, *Idées*, n° 181, 1969.

LA LIBÉRATION DU JUIF, *Petite Bibliothèque Payot*, 1972.

L'HOMME DOMINÉ, *Petite Bibliothèque Payot*, 1973.

JUIFS ET ARABES, *Gallimard*, *Idées*, n° 320, 1974.

LE DÉSERT, *Gallimard*, *Folio*, n° 2034, 1989.

LA DÉPENDANCE, *Gallimard*, *Folio Essais*, n° 230, 1993.

LE RACISME, *Gallimard*, *Idées*, n° 461, 1982.

À consulter sur l'œuvre d'Albert Memmi :

C. Dugas, ALBERT MEMMI, ÉCRIVAIN DE LA DÉCHIRURE, *Éditions Naaman.*

R. Elbaz, LE DISCOURS MAGHRÉBIN, DYNAMIQUE TEXTUELLE CHEZ ALBERT MEMMI, *Le Préambule.*

J.-Y. Guérin, ALBERT MEMMI, ÉCRIVAIN ET SOCIOLOGUE, *L'Harmattan.*

S. Leibovici, M. de Gandillac *et al.*, FIGURES DE LA DÉPENDANCE, AUTOUR D'ALBERT MEMMI, *Presses universitaires de France,* 1991.

E. Jouve *et al.*, ALBERT MEMMI, PROPHÈTE DE LA DÉCOLONISATION, *Levrault éd.*

M. Robequin, ALBERT MEMMI, *Arts et Lettres de France.*

Reproduit et achevé d'imprimer
par Évidence au Plessis-Trévise,
le 29 octobre 2001
Dépôt légal : octobre 2001
1er dépôt légal : octobre 1985
Numéro d'imprimeur : 1508

ISBN 2-07-070550-1/Imprimé en France

9900